Enfances blessées,
sociétés appauvries

Drames d'enfants
aux conséquences sérieuses

Du même auteur dans la même collection:

Aide-moi à te parler! La communication parent-enfant

La Collection de l'Hôpital Sainte-Justine
pour les parents

Enfances blessées, sociétés appauvries

Drames d'enfants aux conséquences sérieuses

Gilles Julien

Éditions de l'Hôpital Sainte-Justine

Centre hospitalier universitaire mère-enfant

Catalogage avant publication de Bibliothèque et Archives Canada

Julien, Gilles, 1946-

Enfances blessées, sociétés appauvries: drames d'enfants aux conséquences sérieuses

(Collection de l'Hôpital Sainte-Justine pour les parents)
Comprend des réf. bibliogr.

ISBN 2-89619-036-8

1. Enfants négligés. 2. Enfants maltraités. 3. Enfants - Protection, assistance, etc. - Aspect moral. 4. Morale sociale. I. Titre. II. Collection.

HV873.J84 2005   362.76   C2005-941970-9

Illustration de la couverture: Marc Mongeau
Infographie: Nicole Tétreault

Diffusion-Distribution au Québec: Prologue inc.
en France: CEDIF (diffusion) – Casteilla (distribution)
en Belgique et au Luxembourg: S.A. Vander
en Suisse: Servidis S.A.

Éditions de l'Hôpital Sainte-Justine (CHU mère-enfant)
3175, chemin de la Côte-Sainte-Catherine
Montréal (Québec) H3T 1C5
Téléphone: (514) 345-4671
Télécopieur: (514) 345-4631
www.hsj.qc.ca/editions

Dépôt légal: Bibliothèque nationale du Québec, 2005
Bibliothèque nationale du Canada, 2005

Un pédiatre qui se consacre aux enfants a une vie parfois cocasse, à certains moments difficile et souvent satisfaisante.

Présentation de l'auteur

Gilles Julien pratique la pédiatrie sociale dans divers secteurs de Montréal, surtout là où vivent des enfants et des jeunes en difficulté. Il est le cofondateur et président de l'organisme *Assistance aux enfants en difficulté* (AED), situé dans le quartier Hochelaga-Maisonneuve, et du *Centre de services préventifs à l'enfance* (CSPE), dans le quartier Côte-des-Neiges. Ces organismes ont pour mission de venir en aide aux enfants, aux jeunes et aux familles qui vivent des difficultés souvent insoutenables, de leur donner les moyens de se bâtir un avenir sain et, surtout, de garder espoir. Leur action prend place dans une perspective de prévention et de prise en main, sur une base locale et communautaire.

Travaillant avec des centres hospitaliers (CHU Sainte-Justine, Hôpital de Montréal pour enfants) et un centre local de services communautaires (CLSC Côte-des-Neiges), le docteur Julien cherche à multiplier son modèle et à former de jeunes médecins et pédiatres à la pédiatrie sociale. Même s'il est parfaitement conscient que la majorité des finissants en pédiatrie n'opteront pas pour cette approche, le docteur Julien «espère aller chercher de 2 à 5 % des pédiatres. Ils deviendraient des superviseurs d'équipes locales et assureraient une continuité en pédiatrie sociale [1]»

Gilles Julien a créé, soutenu et conseillé de nombreux organismes communautaires, comme *Les enfants de l'espoir* (à Gatineau et, à Montréal, dans le quartier Hochelaga-Maisonneuve),

---

1. Gilles Julien. « Profession : pédiatre social. » *La Presse*, 8 avril 2004.

la *Maison Répit-Providence* et le *Projet Répit* (à Montréal, dans les quartiers Hochelaga-Maisonneuve et Côte-des-Neiges).

Outre son travail auprès des familles démunies, le docteur Julien est consultant en développement des enfants et des familles à la *Fondation Lucie et André Chagnon* et l'un des directeurs de l'*European Society for Social Pediatrics* (ESSOP). Il est aussi membre du *Club international de pédiatrie sociale*. Il a œuvré pendant plusieurs années auprès de diverses populations, tant sur le plan local qu'international (notamment dans le Grand Nord québécois, en Afrique et en Albanie).

Selon le docteur Julien, la pédiatrie sociale devrait prendre de plus en plus de place dans le paysage médical. C'est «une pédiatrie qui ne se concentre pas sur les symptômes, mais qui va à la source. Et la source, elle se trouve bien souvent dans le milieu de l'enfant, à l'échelle locale. Cela exige un réseautage du milieu pour travailler auprès des enfants. Quand un enfant a un problème, qu'il soit battu, qu'il ait des retards moteurs ou des difficultés à l'école, tout le milieu est mis à contribution: la famille, le CLSC, la garderie ou l'école, et les médecins[2]. »

Une pédiatrie sociale, oui, mais centrée d'abord et avant tout sur les besoins de l'enfant, en s'appuyant sur ses forces vives. Une pédiatrie qui se fonde sur la communication, particulièrement sur la communication adulte-enfant et parent-enfant, dans une perspective de prévention.

---

2. *Op. cit.*

Table des matières

▼

AVANT-PROPOS

▼

Un enfant blessé constitue une perte sèche pour la société. Un tel enfant appauvrit l'ensemble, au point de faire éclater ses valeurs les plus fondamentales.

Une société qui n'a pas les moyens de prendre soin de ses enfants est en perte de contrôle. Elle est vouée à l'échec. Elle crée du désordre et, surtout, du désespoir.

Au contraire, une société qui soutient ses enfants est en état de croissance. Elle engendre l'espoir, la motivation et la créativité des personnes qui la composent.

C'est seulement dans ces conditions qu'on peut dire que c'est une société juste et évoluée.

Première partie

LA VALEUR « ENFANT » DANS LA SOCIÉTÉ

L'ÉTHIQUE SOCIALE ENVERS LES ENFANTS

▼

La société représente la somme des valeurs, des potentiels et des acquis des individus qui la composent. Elle forme un tout, fait de particularités et d'exceptions qui interagissent pour produire une force commune à tous ses membres. Une société est façonnée par des personnes qui mettent en commun leurs connaissances, leurs expériences et leurs aspirations, pour la faire évoluer et assurer leur propre développement.

La société est le résultat de tous ces acquis. Elle abrite la mémoire collective et garde trace du bien et du mal produits par l'espèce humaine depuis la nuit des temps. Elle joue un rôle de référence, d'orientation et de guidage pour assurer la continuité de l'histoire, garder vivant le souvenir des ancêtres et permettre à ses membres d'évoluer.

La société représente une vaste mise en commun de l'esprit humain et, à ce titre, elle possède une puissance objective qui assure aux personnes des liens fondamentaux et à l'Humanité sa démarche vers la finalité.

C'est la société tout entière qui y perd quand ses membres entreprennent d'agir pour eux seuls, à partir de leurs propres expériences, en lien avec leurs propres besoins et dans le but égoïste d'acquérir des biens et des pouvoirs pour eux-mêmes ou leur clan. La société ne peut que péricliter et cesser d'exister quand les liens se brisent, quand l'identité se perd et quand l'enfant n'a plus la priorité.

Elle régresse quand les humains perdent leur dignité ou leur vie dans des guerres ou des agressions de toutes sortes, quand ils subissent des violences et des abandons, quand des enfants sont laissés à eux-mêmes, négligés, agressés, utilisés ou privés de leurs droits fondamentaux, ce qui compromet leur développement.

Partout dans le monde et chaque jour, des enfants subissent des haines et des terreurs ou sont privés de biens essentiels. Plusieurs perdent leurs proches, leurs parents, leurs villages ou leurs pays. Un grand nombre se retrouvent déracinés, en exil. Des enfants sont délaissés, négligés ou abandonnés, d'autres sont violés et agressés par des proches ou par des adultes insensés. Partout, on retrouve de l'insensibilité envers les enfants, et le désintérêt est chronique. Même au coin de notre rue vivent des enfants blessés et perdants.

L'éthique sociale envers les enfants relève d'une société juste, préoccupée par la condition de vie et le bonheur des siens, elle relève d'une collectivité engagée dans la recherche d'un développement global, elle relève de proches et de parents qui sont chargés d'amour et qui veulent de la sécurité et de la tendresse pour le bien-être des enfants. L'éthique sociale envers les enfants veut dire aussi qu'on donne des chances égales à tous, qu'on cherche à développer le plein potentiel de chacun, à donner aux enfants une place équitable dans le monde et la possibilité de développer leurs rêves et leurs aspirations.

En conséquence, une société juste se base sur ses valeurs fondamentales pour mettre en place des services visant à soutenir ses enfants. Ces services se déploient dans l'intérêt des enfants, dans une perspective d'équité et de justice, afin de respecter leurs droits et leurs besoins globaux, incluant le droit à l'amour et à l'attachement pour des personnes qui comptent. Plusieurs domaines sont en cause : la santé, l'éducation, les loisirs, l'environnement et la justice. Dans chacun de ces domaines, les dérapages sont inadmissibles et catastrophiques.

Il y va de la vie et du bien-être des enfants, et chacun d'eux compte pour un tout. L'enfant et la famille subissent des conséquences désastreuses du fait qu'une école ou un enseignant exclue un enfant ou ramène à la baisse ses attentes envers lui, du fait qu'un médecin ou un hôpital ne lui permette pas un accès complet à des soins de qualité. Les conséquences sont aussi terribles quand des enfants pauvres manquent de logements adéquats ou de loisirs suffisants, quand un enfant n'est pas protégé adéquatement ou encore quand une famille ne bénéficie pas du soutien nécessaire pour bien s'occuper des siens, quand une personne est jugée sur des apparences trompeuses ou n'est pas traitée équitablement, ou encore quand des enfants sont placés inutilement. Dans tous ces cas, la société ne joue pas bien son rôle.

Les enfants laissés pour compte sont des victimes qui devraient nous faire honte. Il ne s'agit pas ici d'un pamphlet accusateur et nous ne cherchons pas de coupables. Il s'agit plutôt d'un plaidoyer servant à réfléchir sur nos valeurs et nos pratiques pour éviter de faire de nos enfants des victimes. Nous sommes tous coupables de porter des jugements hâtifs, coupables de nos incompétences, de nos ignorances et de notre laisser-faire. Nous sommes en même temps tous solidaires et responsables de faire changer les choses afin que le sort des enfants s'améliore.

Il faut pourtant si peu de choses ! Parfois un petit geste, une parole d'encouragement ou un regard attentif annoncent une vie meilleure. Pour protéger l'enfant ou défendre ses droits, pour le voir changer d'orientation, il suffit souvent de l'accompagner de près et de prendre position en sa faveur.

L'éthique sociale nous incite à nous engager auprès des enfants. Par ailleurs, l'amour de ceux-ci nous comble et rend notre action efficace. Agissons dans l'éthique et l'amour, et les enfants nous le rendront à jamais.

La valeur « enfant »

▼

La valeur « enfant » n'est pas une mesure statistique ou économique. C'est plutôt le gain qu'un enfant représente pour la société et qui contribue à l'améliorer. L'enfant est le produit de la société et il en est le meilleur indicateur de santé.

Une société existe par sa capacité à faire des enfants en bonne santé et à assurer la continuité, l'espoir et la croissance de l'espèce. Une société ne peut se perpétuer dans l'histoire que si elle fait assez d'enfants en possession de leurs moyens. Quand le nombre d'enfants décroît ou quand les enfants perdent de l'importance, c'est toute la société qui perd de l'importance.

La valeur « enfant » est donc au centre de nos préoccupations. C'est en grande partie le sujet du présent livre, qui aborde la condition des enfants et la façon dont ils sont traités dans le quotidien par des services mis en place et censés les accueillir, les stimuler, les éduquer et les protéger. Ce qui est en cause, ce sont les services de santé (hôpitaux, cliniques, centres), les services scolaires, les services de protection (Direction de la protection de la jeunesse, tribunaux) et les autres services, de garde ou de loisirs. Tous ces services jouent un rôle de grande importance et possèdent un pouvoir certain sur la trajectoire des enfants et des familles.

Or, il est toujours délicat de permettre à des humains d'utiliser leur pouvoir sur d'autres humains, surtout quand cela met en cause la vie des petits. À ce sujet, on ne doit tolérer aucun dérapage, car les conséquences peuvent en être absolument désastreuses. Tout est dans la façon d'appliquer les services et dans le partage de l'autorité. Il nous faut réfléchir à cela ensemble, pour améliorer et soutenir ces services. Ceux-ci partent de bonnes intentions et de préoccupations légitimes, ils mettent en place des pratiques reconnues et ils sont pertinents quand ils sont exercés par des personnes compétentes. Cependant, ces services concernent les choses humaines, donc fragiles et floues.

Dans le domaine de l'humain, surtout quand il s'agit du meilleur intérêt de l'enfant et de son plein épanouissement, les balises sont souvent peu visibles, les enjeux sont énormes et les risques, élevés. On doit procéder avec délicatesse, mais aussi de façon à donner du sens à la vie des personnes en cause. L'approche doit être intégrée, non segmentée et morcelée, car l'enfant est un tout. Il vit dans un environnement complexe, il a une famille et un milieu. Sa culture le caractérise et détermine ses choix. Chaque élément de sa personne et de son environnement influence son évolution. Si on prétend bien faire en intervenant, on doit s'adapter à cette réalité complexe.

Dans les milieux concernés, on s'entend assez bien sur les droits et les besoins fondamentaux des enfants. Ceux-ci doivent être respectés, nourris, protégés. On doit abreuver les enfants d'amour et d'espoir, on doit leur transmettre la parole, leur réserver une place privilégiée et assurer leur avenir. Ils ont droit à une famille, à un milieu de vie stimulant, à un environnement sain, à des services de qualité et à la possibilité de réaliser leurs rêves.

On accepte aussi, mais beaucoup moins facilement, une certaine adéquation entre les mœurs et les diverses croyances, rites particuliers et cultures propres à certaines sociétés. Toutefois, on décèle à ce propos de sérieuses interrogations sur la sécurité et le développement des enfants quand la vision de la personne ou d'une culture donnée est trop restrictive. On remet alors en question les services et on les juge parfois de façon hâtive et partielle. Le piège, c'est que les lois et les services soient appliqués par des gens qui ont leurs propres croyances, et qui oublient trop facilement qu'ils ont affaire à des humains, semblables à eux, bien que chacun soit tellement différent. Il est donc toujours de mise, en intervention de soutien, de valoriser le respect, la souplesse et la rigueur tout au long du processus.

C'est du bien-être des enfants dont il est question et cela met en cause le plus souvent les compétences et les responsabilités parentales et familiales. «Est-ce qu'ils sont de bons ou de mauvais parents?» «Ont-ils les compétences parentales nécessaires?» «Sont-ils négligents?» «Sont-ils dangereux?» Ce sont des questions simples mais elle comportent de graves conséquences si les jugements se font de façon primaire.

On ne se rend pas toujours compte que l'enjeu concerne aussi l'intimité familiale, les liens d'attachement profond, l'identité culturelle et la filiation, et habituellement ces caractéristiques fondamentales entrent très peu en ligne de compte pour ceux et celles qui travaillent à dispenser des services. Pourtant, c'est là que se situe la véritable menace parce qu'il s'agit des bases de la personne et de son développement.

Qu'advient-il de l'enfant déraciné et replanté ailleurs, dans des milieux étrangers, parfois à plusieurs reprises? Comment un jeune enfant peut-il, surtout s'il ne comprend même pas ce qui se passe, être enlevé soudain à son milieu naturel sans subir un choc terrible dont il ne se remettra peut-être jamais? Pensons-y.

Bien sûr, il est aussi intolérable de laisser un enfant courir le risque d'être agressé ou trompé. Il est parfois obligatoire de déplacer et de déraciner un enfant quand le cas est extrême ou qu'il s'agit d'un abandon par exemple. Ne devrait-il pas être clair qu'il s'agit de cas d'exception qui ne se produisent que lorsqu'il n'y a aucune autre possibilité ? Dans tous les autres cas, on doit choisir une solution constructive plutôt que d'endommager des liens aussi précieux que l'attachement, l'appartenance et l'identification aux proches, même quand ces derniers sont imparfaits.

La valeur « enfant » est un enjeu de taille pour la société. Les solutions constructives concernent la sauvegarde de l'intégrité des enfants et de leurs processus intégrateurs. Parmi ceux-ci, les plus importants sont l'attachement sécuritaire à des personnes proches (les parents en priorité), la référence à des modèles culturels forts (la culture d'origine en priorité) et la réalisation des potentiels personnels (les espoirs et les rêves).

La semaine du 24 juillet

▼

À notre clinique, la semaine du 24 juillet a été le théâtre de quelques situations démontrant que nombre de personnes témoignent d'un manque de discernement et d'éthique. Nous tenterons d'illustrer les dissonances et les injustices qui se produisent dans de tels cas et d'en montrer les raisons qui relèvent le plus souvent d'abus de pouvoir en raison d'écarts dans le statut social des personnes. Pour être reconnu dans la société et dans ses systèmes, il faut être plutôt riche que pauvre, plutôt patron que journalier, et de préférence provenir d'une classe sociale dite supérieure.

Pourtant, le fait d'être reconnu est un droit fondamental dans une société saine. Cela touche aux valeurs des personnes et à la place que chacun occupe dans la société. Être reconnu, c'est aussi une prérogative du processus démocratique qui s'exprime, entre autres, par le droit que nous avons tous de donner notre opinion et de voter. Enfin, être reconnu permet à chacun de contribuer à améliorer la société.

Dans la semaine du 24 juillet, en trois jours seulement et sur un sujet de grande importance, les agressions sexuelles sur de jeunes enfants, on a répertorié trois cas de personnes n'ayant pas de crédit auprès des différents services mis en place dans la société pour soutenir les enfants. Et ce n'est pas un hasard si ces trois cas concernent des femmes vivant en milieu défavorisé !

Nancy au poste de police

Nancy se présente au poste de police de son quartier. Elle est dans un drôle d'état. La semaine d'avant, elle a constaté que sa petite fille de 5 ans avait du sang dans sa culotte, au retour d'une journée passée au camp d'été. Elle a d'abord cru à une blessure ou à un accident de jeu et, d'ailleurs, l'enfant lui a affirmé être tombée sur les fesses en faisant du tricycle, ce qui a partiellement rassuré sa mère. Cependant, le soir même, Nancy découvre encore des traces de sang frais dans la petite culotte de sa fille, qui se plaint maintenant de douleurs à la « noune ». Nancy lui faire prendre un bain et se promet de me l'emmener à la première heure, le lendemain.

L'enfant me rapporte d'abord l'accident du tricycle, puis je l'emmène jouer dans la cour de notre Centre. J'en profite pour lui demander si quelqu'un aurait touché à sa « noune » récemment. Son visage souriant prend alors une expression d'angoisse, elle se jette dans mes bras et me chuchote (les enfants chuchotent souvent dans de telles circonstances) qu'elle ne peut pas parler parce qu'elle a peur de se faire disputer. On continue à jouer un certain temps, puis elle me revient pour chuchoter de nouveau, mais cette fois elle me donne un nom, celui de la personne qui lui a mis les doigts « tu sais où »… Je la garde dans mes bras sans parler et, plus tard, je lui chuchote à l'oreille que, si elle veut, je vais m'en occuper et la protéger. Elle fait « oui » de la tête.

L'examen, fait par la suite avec son accord et en présence de sa mère qui refuse de regarder, confirme ses dires et nos pires craintes. Sa vulve est irritée, et son vagin dilaté montre des blessures qui saignent encore légèrement.

Nancy est une femme impulsive et on reconnaît vite chez elle des traces anciennes et récentes de grandes blessures. Pour qui ne la connaît pas, elle apparaît dure et parfois dangereuse, mais ce n'est qu'une façade. Ce matin, elle pense à se venger. « J'en ai rêvé toute la nuit », me dit-elle. Prenant la peine de réfléchir, elle me propose une autre solution, celle de me laisser m'en occuper selon les règles, ce qui me rassure un peu. Pour sa part, elle ira faire une déclaration à la police.

Elle a beaucoup cheminé, Nancy, depuis que je la connais. Au début, c'était une femme en colère, qui ne faisait pas de compromis. Avec elle, tout se passait de façon très impulsive, avec force et souvent aussi avec violence. Dans le passé, un événement comme celui-ci l'aurait mise dans un état de grand malheur et elle n'aurait pas hésité à se faire justice elle-même. Aujourd'hui, elle s'est calmée, la douceur et la paix se sont tranquillement installées dans son cœur, elle pardonne et elle oublie un peu… Pourtant, l'agression de sa fille ravive en elle de nombreuses blessures et de grandes douleurs, encore à fleur de peau. En fait, sa réaction me surprend et je suis très fier d'elle.

À son arrivée au poste de police, ses jambes tremblent un peu et cela aussi lui rappelle de mauvais souvenirs. Ses visites antérieures dans ce genre d'endroits n'ont pas été de tout repos. Elles ont souvent été marquées par la violence, et mettaient en cause l'alcool et des voies de fait. Elle a en mémoire le souvenir des menottes et des barreaux. Elle en garde même des empreintes physiques. Toutefois, elle se dit amendée dans son for intérieur et, jusqu'à tout récemment, elle faisait encore des travaux communautaires pour effacer sa dette envers la société. Aujourd'hui, elle reprend courage et ouvre la porte pour affronter la situation. Elle s'est habillée convenablement pour la circonstance, ses cheveux sont bien coiffés et, pour la première fois depuis longtemps, elle a un peu de maquillage sur le visage.

Le policier de service se montre surpris de la voir. Il la connaît bien et, maladroit au possible, l'interpelle ainsi : « Qu'est-ce que tu fais ici ? Qu'est-ce qui t'arrive ? D'habitude, t'es de l'autre côté », montrant une cellule.

Gardant son calme, Nancy lui répond doucement qu'elle n'a pas le goût de rire et qu'elle vient déclarer une agression sexuelle.

Le policier s'esclaffe : « Ne me dis pas qu'il y a un gars assez innocent pour abuser de toi ! ». Nancy répond : « Ce n'est pas pour moi que je viens, mais pour ma fille. Un " chien sale " l'a agressée et elle saigne. Le docteur l'a vue. »

Dès lors, l'agent change de ton. Il se confond en excuses et reprend son sérieux pour faire enfin son travail.

Sylvie devant la DPJ[*]

Sylvie passera la prochaine fin de semaine en maison d'hébergement avec ses deux enfants, de 4 et de 6 ans, parce qu'elle a peur, et surtout pour protéger ses petites. L'affaire n'est pas simple.

En début de semaine, elle m'a fait part de ses craintes devant le danger que représentent les visites de ses filles chez leur père, un week-end sur deux. Elle a hésité longtemps avant de m'en parler, de crainte de se faire des idées fausses, de ne pas être crue ou de passer pour paranoïaque.

Sylvie habite seule avec ses deux filles. On l'a souvent accusée, bien à tort, de ne pas être à la hauteur et de sortir tard le soir. Dans son entourage, on la soupçonne de consommer et de mener une vie douteuse. Ce n'est pas la première fois qu'il y a un

---

[*] Au Québec, la Direction de la protection de la jeunesse est une fonction créée pour protéger les enfants en difficulté. Elle a le mandat d'intervenir pour faire cesser la situation qui compromet la sécurité ou le développement d'un enfant.

signalement à la DPJ, mais aucun n'a jamais été retenu, soit qu'ils s'avéraient sans fondements soit qu'il s'agissait simplement d'une vengeance de voisins suscitée par son allure arrogante.

Je connais cette femme depuis plusieurs années, et malgré son apparence, en particulier ses vêtements provocants et ses nombreux *piercings*, il s'agit d'une personne dévouée et aimante pour ses enfants. Cela nous suffit. Malgré sa façade qui laisse croire qu'elle est dure, nous savons qu'elle a une grande fragilité interne. Elle parle beaucoup et on la sent souvent sur la défensive, parfois agressive, mais en fait ce n'est là que le reflet de ses propres souffrances passées et de ses craintes actuelles qui la hantent constamment. Des médecins ont essayé de poser des diagnostics à son sujet ou de lui donner des étiquettes de troubles psychiatriques, mais comme elle le répète maintenant à qui veut bien l'entendre, elle a reçu son congé dernièrement d'un psychiatre ayant conclu à un simple problème d'hyperactivité n'ayant malheureusement jamais été diagnostiqué auparavant, mais qui s'est déjà grandement amélioré grâce au *Ritalin*.

Ses deux enfants sont tout simplement magnifiques. Dans notre service, nous connaissons bien ses deux filles, car elles viennent régulièrement participer à des activités de jeux et de stimulation. Elles sont souriantes et attachantes, et elles se développent normalement. La plus grande, Sarah, fréquente l'école depuis deux ans. Elle a du talent en dessin et j'ai la chance de recevoir régulièrement ses œuvres en cadeau, avec des gros «je t'aime» inscrits dessus. La plus petite, Maude, 4 ans, sourit en permanence et ses yeux d'un noir profond ne laissent personne indifférent. Je représente pour elle l'homme de confiance, je suis «son docteur», à qui elle se réfère au moindre «bobo», ou simplement pour se faire garder entre deux activités. La confiance est totale et cela représente un gros atout dans les moments de difficultés.

Que s'est-il donc passé pour que Sylvie demande à me voir d'urgence ce jour-là ?

Maude a souvent des irritations à la vulve, selon la maman, mais particulièrement au retour des visites chez son père. Au début, Sylvie pensait que cela était occasionné par un simple manque d'hygiène, le père n'étant pas très porté là-dessus. Cette fois, l'enfant a candidement dit à sa maman que « quelqu'un avait mis ses doigts dans ses fesses »… Sylvie s'en veut alors de ne pas avoir réagi plus tôt, mais se jure maintenant d'aller au fond des choses. Elle se dit que les enfants ne remettront plus les pieds chez leur père, qui habite avec sa conjointe du moment et d'autres enfants plus âgés. Elle sait qu'il est peu disponible pour ses propres enfants et qu'il vit dans un milieu malsain, mêlé à des histoires de drogues et de crimes. Elle sait aussi qu'il n'est pas coupable directement, mais qu'il est incapable de protéger ses enfants ou simplement désintéressé de ce qui leur arrive.

Sylvie voulait clarifier la situation et porter plainte. Elle m'emmena donc l'enfant pour m'associer à sa démarche. Ses soupçons portaient sur quatre personnes, dont deux adolescents, qu'elle me nomma par leurs prénoms et qui habitaient tous dans cette maison où vivait le père. Elle se rappelait maintenant avoir surpris Sarah faisant « des choses » dans la baignoire avec Maude. Les deux fillettes mimaient entre elles des actes sexuels. Une autre fois, elle les avait vues faire ce genre de jeux dans leur chambre. Elle les avait sévèrement grondées et avait même entrepris de déménager pour qu'elles aient chacune leur chambre. Maintenant, les choses s'éclaircissaient, elle voulait en parler et, surtout, elle était déterminée à tout faire pour protéger ses filles.

Je fis venir Maude, la plus jeune, et l'emmenai dans la cour pour jouer au ballon. Elle est toujours fière de jouer ainsi, seule avec «son docteur». Elle riait aux éclats chaque fois que je ratais le ballon ou que je faisais une fausse manœuvre. À la pause, je m'assis avec elle dans la balançoire et je lui demandai subitement qui lui avait touché les fesses. Spontanément, sans hésitation, elle me nomma les quatre mêmes personnes soupçonnées par sa maman; puis elle devint triste et se jeta dans mes bras en me serrant fort. Je lui promis alors que je la protégerais, avec sa maman, et que plus personne ne lui ferait de mal. Puis, je la posai par terre et elle retrouva le sourire dès que l'on recommença à jouer.

Je fis part à la mère de mes découvertes et de ma promesse envers Maude. Elle prit alors la décision de ne plus envoyer ses enfants chez leur père, même si une nouvelle visite était prévue deux jours plus tard. Cependant, Sylvie craignait des représailles et elle appréhendait surtout la visite des amis peu recommandables du père si elle ne lui envoyait pas les enfants comme prévu. Il l'avait souvent menacée en ce sens, récemment encore, parce que les enfants refusaient de se rendre chez lui, préférant rester chez leur mère. Sarah disait souvent que leur père ne s'occupait pas d'elles quand elles séjournaient chez lui, et qu'en plus elles n'avaient pas de place pour dormir. Elles devaient se coucher par terre dans le salon, parmi les invités.

Sylvie prit la décision de se rendre en maison d'hébergement dès le lendemain, après avoir déposé une plainte à la DPJ. Dans l'avant-midi, une intervenante appela à notre Centre et parla à mon assistante. Sa première réaction fut bouleversante et même révoltante. Elle ne croyait pas la mère! Elle disait que cette femme était bien connue de leur service, qu'elle n'était pas crédible et… «qu'est-ce qu'elle est encore allée inventer pour attirer l'attention?»

L'affaire ne trouva pas preneur.

Aïcha à l'urgence de l'hôpital

Selma est une maman d'origine arabe, et je ne l'avais pas vue depuis plus d'un an quand elle se présenta avec Aïcha, son aînée de 6 ans, «pour une vraie urgence», disait-elle. Elles avaient déménagé et n'habitaient plus dans le quartier, mais Selma tenait à ce que ce soit moi qui voie son enfant. «C'est très urgent», me répétait-elle, sans préciser de quoi il s'agissait. Pendant ce temps, l'enfant s'était mise à jouer et semblait à son aise. Visiblement, elle n'était pas malade, je la trouvais enjouée et elle paraissait rassurée de se retrouver parmi nous.

Il allait falloir du temps avant de cerner le problème, car la mère passait d'un sujet à l'autre, évitant l'urgence en question. Elle me parut très émotive, au bord des larmes. Elle me rappela les souffrances et les difficultés qu'elle avait vécues. Trois ans auparavant, elle avait immigré au Canada, à la recherche de meilleures conditions de vie et, surtout, d'un avenir meilleur pour ses deux enfants, un garçon alors âgé de 1 an et une fille de 3 ans. Selma fuyait la guerre, bien sûr, avec son instabilité et son horreur au quotidien, mais elle se sauvait aussi de la violence d'un homme qui l'avait battue devant ses enfants et qui l'avait traitée comme si elle n'était pas une personne humaine.

Cette femme avait des ressources personnelles et beaucoup de courage. Elle avait une profession, elle était dentiste dans son pays. Elle avait donc pris la décision de refaire sa vie et celle de ses enfants en leur donnant un nouvel espoir. Elle me disait qu'elle ne demandait rien pour elle et qu'elle voulait se consacrer entièrement à ses enfants, mais les choses étaient plus difficiles qu'elle l'avait imaginé. Dès son arrivée au pays, une misère n'avait pas attendu l'autre, au contraire de ce qu'on lui avait promis à l'ambassade avant son départ.

Plusieurs immigrants se plaignent de telles promesses qui leur sont faites avant qu'ils partent de leur région. Ces promesses leur laissent miroiter un pays accueillant, où il fait bon vivre et où il est facile de se trouver un emploi. On leur dit qu'ici, les droits des personnes sont entièrement respectés et que les biens sont abondants. Ces faits sont en partie vrais, mais la réalité n'est pas si rose, surtout pour ces nouveaux arrivants qui ont quitté leur pays d'origine dans de mauvaises conditions, ou avec un grand espoir et une vision démesurée du pays d'accueil.

À l'arrivée de la famille, les formalités d'immigration avaient été compliquées. On les avait retenus à la douane pendant plusieurs heures, car leurs papiers étaient mal remplis. Pendant quelques jours, on les avait logés dans un hôtel du centre-ville, sous surveillance, en attendant que leur situation se régularise. La mère avait interprété cette situation comme un traitement réservé à des criminels. « C'est comme ça que je me suis sentie à mon arrivée au Canada », m'avoua-t-elle un jour.

Par la suite, elle réussit à se trouver un petit logement dans notre quartier, tout près de la clinique, grâce à l'aide d'un organisme de soutien aux réfugiés. Elle arrivait dans un milieu québécois de souche, qui a sa propre culture, qui vit dans des conditions de grande pauvreté et qui ressent une certaine méfiance envers les étrangers. Nous étions au seuil de l'hiver. Elle « fit avec », comme on dit. Au début, elle conserva courage et détermination, certaine que ces conditions étaient temporaires et que tout finirait par s'améliorer. Elle inscrivit ses enfants dans des lieux de garde adéquats et se mit à la recherche d'un emploi. Elle recevait une petite rente de l'État qui lui permettait d'offrir les biens de base à ses enfants, mais rien pour elle. Pourtant, elle ne se plaignait pas, car elle ne demandait pas grand-chose.

C'est à cet époque-là que je connus cette famille.

Les enfants de Selma étaient beaux, en bonne santé et brillants. Le plus jeune marchait déjà et s'intéressait à tout ce qui l'entourait. La petite Aïcha, elle, brillait par sa beauté et sa présence. Elle était adorable et autonome, gracieuse et habile. Tous deux faisaient la fierté de leur mère et lui donnaient l'énergie nécessaire pour construire une vie nouvelle, malgré les difficultés. L'hiver fut long et dur, et rien ne changeait pour le mieux dans leur vie. Le froid entrait dans leur logement mal isolé et ils dormaient tout habillés. La nourriture leur manquait souvent. La mère avait épuisé ses ressources et n'avait encore aucun emploi en vue. Ils vivaient certes enfermés à cause du froid, mais aussi à cause de l'absence de réseau social. La vie était difficile et la mère commença à se demander si elle avait pris une bonne décision en venant ici. Rapidement, elle sombra dans une forme de dépression qui la transforma et lui enleva une grande partie de son énergie. Elle continuait à tout faire pour ses enfants, à les nourrir au mieux, à les protéger et les aimer, mais elle laissait aller le ménage et le train-train quotidien, jusqu'au jour où on la signala à la DPJ pour négligence. Ce jour-là, son calvaire commença vraiment.

Elle ne connaissait pas ce service, mais d'après la façon dont elle fut traitée, elle comprit vite que cela ressemblait à ce qu'elle avait vécu dans son propre pays. Elle prit peur, au point de sombrer dans une profonde dépression. Elle me raconta ensuite que deux personnes étaient venues chez elle pour enquêter (la phase évaluation), qu'elles étaient arrogantes et insensibles, qu'elles avaient fouillé partout, dans son frigo, sous le lit dans sa chambre, dans les armoires. Elles avaient demandé à la petite Aïcha si sa mère la frappait et si elle mangeait à sa faim. Les enfants étaient apeurés et s'étaient mis à pleurer en se réfugiant contre leur maman. Les enquêteurs étaient repartis en disant qu'ils allaient sûrement revenir et que si la mère ne collaborait pas, ils reviendraient avec des policiers. Bien sûr, ils ne s'excusèrent pas du dérangement. Ils ne revinrent jamais et la mère apprit plus tard que le dossier avait été fermé. Pourtant, elle en garderait longtemps des séquelles graves.

Encore une fois, la mère s'était sentie comme une criminelle devant ses propres enfants et elle ne s'en remettait pas. Elle sombra dans un état dépressif qui lui fit perdre le petit emploi qu'elle venait enfin de se trouver. À ce moment-là, et pour la première fois de sa vie, elle commit certaines négligences, et perdit intérêt pour sa nouvelle vie. Pour la première fois depuis son arrivée au Canada, elle n'avait plus d'espoir et se mit à penser que ce nouveau refuge, cette terre promise dont elle avait tant rêvé et qui lui avait coûté si cher, n'était au fond qu'un pays semblable aux autres, où les plus forts l'emportent et où les injustices restent impunies.

Plus tard, elle me dit qu'elle avait fui son pays et toute sa famille, ainsi que son entourage, pour offrir la liberté à ses enfants. Maintenant, elle se retrouvait au même point qu'avant, avec, en moins, sa fierté, sa culture et ses proches.

La «vraie urgence» dont il était question consistait en des craintes plus ou moins avouées d'une agression sexuelle sur sa fille. Elle avait remarqué des taches dans la culotte de la petite et ne trouvait pas cela normal. Elle se questionnait. Si elle était venue me voir, c'était pour se faire rassurer et pour régler le problème sur le plan médical. À l'examen, tout m'inquiéta et je lui en fis part immédiatement. Je voyais des sécrétions verdâtres sur la vulve de l'enfant, et même dans son vagin, qui se dilatait spontanément. Plus encore, l'anus était irrité et dilaté, ce qui représentait une possibilité sérieuse d'agression sexuelle. Or, quand j'en parlai à la mère, délicatement mais clairement, c'est-à-dire en la questionnant sur les personnes avec qui elle était en contact et sur les possibilités que quelqu'un ait touché à l'enfant, elle s'effondra en me posant cette simple question: «Docteur, est-ce qu'elle a encore son hymen?»

J'essayai de lui expliquer que, dans les circonstances, cela n'était pas si important. Je lui dis que plusieurs enfants de son âge n'ont pas d'hymen visible et je lui parlai de différents autres mystères médicaux, mais elle ne voulait rien entendre et se mit littéralement à paniquer. Elle pleurait et criait en racontant que, sans l'hymen, elle était perdue et qu'elle serait châtiée. Rien ne pouvait la rassurer ni la calmer. Lorsque je lui proposai de se rendre à l'hôpital pour faire des prélèvements et un examen plus complet, elle continua de plus belle et cria encore en disant qu'on voulait assurément lui enlever son enfant et que si cela devait arriver, elle se suiciderait immédiatement.

Elle finit par se calmer un peu et me rappela les pénibles moments qu'elle avait vécus l'année précédente, lors de l'intervention de la DPJ, et sa crainte de revivre la même chose, en pire. Elle m'avoua qu'avant de partir de son logement, les intervenants l'avaient non seulement menacée de revenir, mais ils avaient ajouté que s'il arrivait autre chose, ils viendraient assurément avec la police lui enlever ses enfants.

Je finis par la convaincre d'aller à l'hôpital avec une intervenante de notre organisme. Je voulais m'assurer qu'elle soit traitée de façon juste et qu'on examine l'enfant de façon plus approfondie. Je tenais à la protéger au mieux. Dans ces conditions, Selma accepta et, avant de partir, elle me fit une grande confidence. Quelques mois auparavant, Aïcha lui avait avoué qu'un homme l'avait touchée, à la garderie qu'elle fréquentait alors. Mais elle s'empressa de me dire, «je ne l'ai pas crue!»…

Je lui fis une référence personnalisée pour l'hôpital, qu'elle scruta attentivement. Elle refusait que j'écrive que nous soupçonnions une agression sexuelle; alors je me contentai d'indiquer au médecin des constats cliniques qui parlaient d'eux-mêmes. On saurait bien décoder qu'une lésion infectieuse au vagin, associée à une lésion anale chez une petite fille de 6 ans risquait de faire sérieusement référence à un risque d'agression sexuelle. Je croyais, sans aucun doute, que l'enquête se mettrait en branle illico pour assurer la protection de l'enfant.

La mère et sa fille se rendirent à l'urgence de l'hôpital vers les trois heures de l'après-midi. L'infirmière, au triage de l'accueil, sembla convaincue d'emblée de la pertinence de la visite et de son importance pour la protection de l'enfant. Cependant, il en fut autrement vers les huit heures du soir, lorsque le médecin constata les lésions et prescrivit un traitement antibiotique, pour ensuite retourner l'enfant chez elle, sans plus de formalités. On venait de manquer le bateau. La mère n'en demandait pas plus, bien contente d'éteindre l'affaire sans que la DPJ s'en mêle.

Le lendemain, lorsque je m'informai de la suite des actions entreprises pour venir en aide à l'enfant, j'appris que rien n'avait été fait et que la référence ne faisait que reproduire une impasse thérapeutique. Je donnai un coup de fil au médecin de l'urgence qui avait fait la consultation et celle-ci fut d'abord surprise de mon appel. Lorsque je lui demandai si, devant des faits aussi évidents, elle avait au moins pensé à une possibilité d'agression sexuelle, elle se fâcha et me répondit que cela n'é-tait pas écrit sur la demande de consultation ! Lorsque je lui fis part de mon mécontentement, elle m'avisa sèchement que je n'aurais pas dû l'envoyer à l'urgence, que ce n'était pas la bonne place et qu'il fallait plutôt qu'elle prenne rendez-vous à la cli-nique sociojuridique, etc. Enfin, lorsque je lui expliquai que la mère n'aurait jamais accepté ce type de consultation, elle s'ex-cusa du bout des lèvres et me fit savoir qu'à l'avenir, je devrais m'occuper moi-même de ce genre de cas…

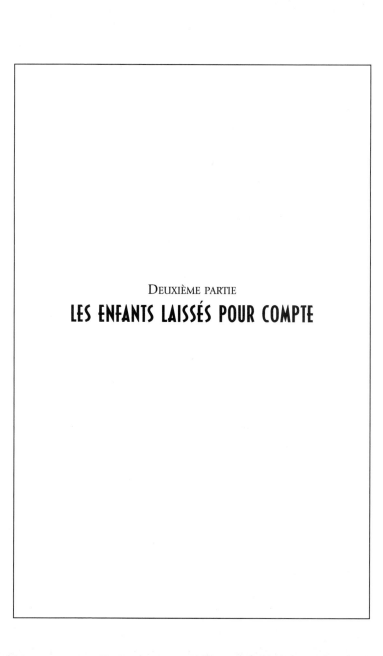

DEUXIÈME PARTIE

LES ENFANTS LAISSÉS POUR COMPTE

Notre société est en difficulté, car elle abandonne ses enfants qui deviennent des laissés pour compte. Ces enfants souffrent de l'absence des adultes, de leur négligence et de leurs agressions. Ils souffrent aussi du rejet et de l'abandon, des blessures et des cassures. Ils souffrent de ne pas avoir de place et de ne pas pouvoir se développer adéquatement. Ils souffrent parce qu'on leur vole leur enfance.

On en trouve partout de ces laissés pour compte, dans toutes les couches de la société, dans tous les milieux et dans plusieurs familles. Ou bien leur situation apparaît de façon flagrante ou bien elle passe inaperçue. En effet, les enfants se cachent pour souffrir. Mais à l'occasion, ils se révoltent et se mettent en colère.

Tous les jours, nous rencontrons de ces enfants qui sont devenus des victimes de la société. Pour des gens non avertis, rien ne paraît, ils ont l'air d'être normaux. Cependant, quand on examine leur regard, on y voit de la tristesse, leurs yeux ne brillent pas et l'espoir en est absent. Ces enfants ont des problèmes de développement, des troubles de comportements et de multiples incapacités.

Que leur arrivera-t-il ?

MARIO, LE PERDANT

▼

Mario avait 6 ans quand je l'ai connu. On venait de le placer chez une femme d'une cinquantaine d'années qui faisait vaguement partie de sa famille, par ailleurs peu recommandable. Pendant toute sa petite enfance, on l'avait ballotté ici et là, il avait été sans domicile fixe, exposé à tous et à chacun. Sa mère, Karine, n'avait ni l'énergie ni la capacité d'en prendre soin, mais elle ne voulait pas s'en séparer, par sentiment de culpabilité ou par intérêt, ou encore les deux à la fois.

Le frère cadet de Mario, Vincent, qui avait 10 mois de moins, n'avait pas eu la vie facile non plus, mais il avait toujours eu l'avantage d'attirer moins l'attention négative. Tout le monde l'adorait, admirait ses yeux d'un vert de printemps, alors que Mario avait été difficile dès la naissance. Bébé, il pleurait continuellement et faisait des crises à la moindre occasion. On l'enfermait et on le frappait et lui, il en rajoutait. Toute son enfance était un cauchemar. L'enfant sentait bien qu'il n'était désiré nulle part. Il n'en pouvait plus et se rebellait.

Au cours des premiers mois de sa vie, il avait des épisodes de pleurs inconsolables. Peut-être parce qu'il avait constaté que cela ne donnait rien, il avait ensuite commencé à vomir. Il rejetait presque toujours ce qu'il mangeait ou buvait, et même quand il n'avait rien absorbé, il vomissait quand même. Ajoutons que son frère et lui étaient souvent laissés seuls à la maison pendant des heures, parfois même des jours entiers. Quand la mère partait, elle les enfermait dans leur chambre, avec un ou deux biberons, et plus tard avec quelques biscuits secs. Elle fuyait alors, seule ou avec d'autres, demandant parfois à une copine de passer à la maison pour s'assurer que tout allait bien.

Cette jeune mère, Karine, était assez irresponsable. À 19 ans, elle avait eu deux fils de pères différents. Elle avait bien eu une petite joie lors de l'accouchement en voyant apparaître Mario et son impressionnante chevelure. Toutefois, dès qu'on lui avait confié l'enfant et qu'elle l'avait aperçu, tout plissé et enduit d'une sorte de crème jaunâtre, elle avait su qu'elle ne le tolérerait pas longtemps.

Le scénario fut assez semblable lorsque Vincent vint au monde. Cependant, son cas fut différent, car l'équipe de la maternité et de la pouponnière avait accueilli ce deuxième garçon en «petit prince». On n'en finissait pas de le trouver beau, calme et adorable. Quand il ne dormait pas, il gardait les yeux ouverts, comme s'il regardait tout autour de lui. De sorte que quand quelqu'un s'approchait, le petit semblait déjà regarder tendrement cette personne. Celle-ci pensait qu'il la voyait et qu'il lui parlait avec les yeux. On invitait les gens des autres services et même les visiteurs à observer ce phénomène. Pourtant, on sait bien que l'enfant n'y voyait guère! Mais sans doute était-il heureux de se sentir en sécurité. Il était curieux de repérer les ombres qui circulaient autour de lui et d'entendre des voix le rassurer.

Pour Vincent comme pour Mario, la grossesse de Karine n'avait pas été de tout repos. Cependant, au contraire de Mario, Vincent n'avait pas été accueilli avec des coups à répétition et n'avait pas été le témoin obscure de scènes de grande violence entre sa mère et son conjoint de l'époque. Pendant la petite enfance de Vincent, leur mère était dans un état plutôt dépressif, mais cela l'avait incitée à cesser presque complètement de se prostituer, pour se contenter de consommer de la marijuana et de faibles quantités d'alcool. Vincent avait donc vécu une petite enfance moins dure que celle de Mario, ce qui avait grandement contribué à lui inculquer la force et le courage nécessaires pour affronter la vie.

Mario, lui, était resté affecté par ce qu'il avait connu. Ses vomissements finirent par nuire sérieusement à sa croissance. Il dépérissait. On l'hospitalisa pendant plusieurs jours et à plusieurs reprises, mais on ne trouvait jamais les causes physiques de son problème. Pour qu'il survive, on le gava. Puis, pendant plusieurs mois, on lui fit boire des laits hypercaloriques. On passa complètement à côté de sa détresse et il finit par s'y résigner. Un jour, il cessa de vomir. Que s'était-il passé? Il venait de découvrir la musique…

Sa mère s'était rendu compte qu'il était plus calme lorsqu'il entendait la radio. Elle commença donc à laisser le poste allumé à longueur de journée et c'est ainsi qu'il développa un goût marqué pour la musique, particulièrement pour l'opéra, qui ne le quitta plus jamais ensuite. Les rythmes le rassuraient et l'égayaient. Désormais, on pouvait l'abandonner sans rien à manger ou se fâcher contre lui, cela ne le touchait plus. La musique lui tenait compagnie et l'amenait dans un autre état, plus rassurant et, surtout, plus joyeux. L'opéra le fascinait. Les voix fortes lui donnaient du courage. Les sons nouveaux le faisaient rêver à des mondes meilleurs. Les thèmes variés touchaient sa sensibilité et la beauté des mélodies le faisait souvent pleurer. Pendant un moment, on crut qu'il aurait un tempérament triste et déprimé, mais il n'en était rien. Il devint plutôt l'enfant des grandes émotions et des sentiments extrêmes.

Jusqu'à l'âge de 2 ou 3 ans, les enfants avaient connu la faim, la misère et l'isolement, mais cela n'avait rien à voir avec les deux ou trois années qui allaient suivre. Une force innée et quelques belles occasions avaient préservé Vincent. Quant à Mario, c'est la musique d'opéra qui l'avait sauvé. Néanmoins, la période à venir allait être très dure. Leur monde bascula quand les agressions commencèrent.

Un jour, subitement, la mère changea d'entourage. Elle partit précipitamment pour fuir un propriétaire qui exigeait le prix de son loyer et, surtout, pour fuir des dettes de drogue. Elle voulait aussi s'éloigner de la DPJ. Au cours de sa cavale, elle aboutit à la campagne, dans une sorte de commune où l'on se partageait tout, même les enfants !

C'était une grande maison de ferme, jadis spacieuse et fonctionnelle, mais aujourd'hui délabrée et en ruine. Là-bas s'entassait une bonne dizaine de personnes, hommes et femmes, tous un peu rescapés d'une vie pas très rose. La maman arriva avec ses deux petits dans un espace restreint et déjà occupé. Elle accepta de partager la chambre d'un type dans la quarantaine, pas très rassurant et puant la saleté à plein nez. Les enfants, eux, n'auraient qu'à se trouver un coin dans la maison, à la condition de ne pas trop se faire remarquer.

C'est ainsi que, de soir en soir, chacun allait s'abriter auprès de personnages louches, parfois chacun de son côté, parfois tous ensemble, au service les uns des autres… Par moment, les enfants recevaient un peu d'attention, mais en servant des causes qui détruisaient leur confiance et leurs rêves. On en abusait, de toutes les façons, on se les échangeait et on comparait leurs «performances».

Pendant ce temps, la maman s'enlisait dans l'enfer de l'alcool et des drogues de plus en plus dures. Le temps passait et il y avait de moins en moins d'espoir qu'elle se reprenne en main. Elle en vint même à oublier qu'elle avait mis au monde ces enfants qui continuaient de l'adorer et de l'attendre, du moins quand ils réussissaient à l'apercevoir de loin.

Cette situation dura deux ans, jour pour jour. Un après-midi, un travailleur d'Hydro-Québec qui inspectait les installations électriques découvrit par hasard l'état abominable des lieux et la misère odieuse dans laquelle vivait cette famille. Tandis qu'il examinait les fils devant la maison de ferme, il remarqua Mario endormi sur une chaise, au milieu du perron, en plein mois de novembre. Au début, il le crut mort, mais lorsqu'il s'approcha, il vit l'enfant recroquevillé, à moitié nu, et il aperçut des taches de sang sur la culotte du garçon.

Il le prit dans ses bras et cria à l'aide. Personne ne vint. Il frappa à la porte, mais n'obtint pas de réponse. Il pénétra dans la maison et y découvrit ce qu'il allait ensuite décrire comme une chose indicible : des tas d'immondices s'accumulant sur le plancher jusqu'à hauteur d'homme, des gens saouls ou drogués, vautrés partout au milieu des rebuts, et dans l'air, des odeurs d'eaux stagnantes et souillées. Il aperçut Vincent, couché presque nu lui aussi, dans les bras d'un type complètement abruti. Il ne trouva la mère nulle part. Plus tard, on apprit qu'elle était partie depuis trois jours, sans dire où. On la retrouva en ville, dans un état pitoyable.

Le calvaire des enfants achevait. Cependant, leur vie ne deviendrait pas douce pour autant. Ils n'étaient pas au bout de leur peine, et les atrocités qu'ils avaient connues les hanteraient longtemps encore.

Malgré cela, quand la situation des deux garçons fut plus sûre, après quelques années, ils se réjouirent de revoir leur mère, en «visites supervisées», ne serait-ce que quelques secondes. Ils continuaient à s'inquiéter pour elle et ils espéraient qu'un jour ils se retrouveraient tous ensemble, «comme une vraie famille»…

C'est ce que chaque enfant espère toujours au plus profond de son cœur, quelles que soient les conditions ou les blessures !

Dino et dédé, les rescapés

▼

Dino et Dédé, ces deux frères au destin hors du commun, sont des rescapés. Leur mère, Mélanie, a réussi avec le temps à transformer sa vie et à bien s'occuper de ses enfants, bien qu'elle fût jadis incompétente en cette matière et, surtout, absente. Malheureusement, on continue en haut lieu de la juger sur son passé, car notre système ne pardonne jamais, il remet constamment en doute la bonne foi des gens et nie leur capacité d'évoluer. Quant aux pères, eux, ils sont la plupart du temps complètement absents et non engagés, ce qui leur vaut malheureusement une certaine immunité. Cela se passe dans notre société, comme si une maman démunie, même temporairement, était plus coupable que celui qui s'en lave les mains et qui disparaît !

Mélanie avait plusieurs enfants. Tous très beaux, mais tous agités, sans exception. Tous des garçons, sauf la cinquième, Chloé. Cette petite était née au printemps et s'était présentée avec des cheveux noirs et bouclés et avec un sourire enjôleur. Chloé arrivait dans une famille perturbée. Les garçons causaient des problèmes à leur entourage et la mère était le plus souvent absente.

Chacun ayant un père différent, chacun avait sa propre physionomie et son caractère distinct. Il y avait des yeux bleus, des yeux verts et des yeux bruns, des cheveux blonds et des cheveux noirs, des peaux claires et des teints foncés. On trouvait des leaders et des artistes, des lunatiques et des sportifs.

Malgré ces différences, tous étaient animés de la même vigilance et de la même vivacité d'esprit. On retrouvait en eux la marque de Mélanie, son regard vif, son allure distinguée et sa vulnérabilité. En d'autres temps et d'autres lieux, cette femme aurait été une reine de beauté ou une actrice vénérée. Ses enfants auraient connu les plus grands succès, mais ici, dans leur quartier perdu, ils ne vivaient que peines et détresses.

Dans notre société, on définit les gens par leurs avoirs et leur milieu. C'est ainsi que se déterminent bien souvent leurs succès ou leurs échecs. Ce ne sont pas les qualités humaines qui font leur destin, mais bien la chance, celle d'être né au bon moment et au bon endroit, celle de vivre dans la richesse plutôt que dans la misère. Et les pauvres n'ont qu'à crever, sous le poids des jugements que l'on porte sur eux et des abandons qui tissent leur parcours. Les enfants n'échappent pas à cette règle terrible.

Il serait pourtant tellement préférable de s'abstenir des jugements hâtifs devant la misère humaine et de compatir plutôt que de sévir. De plus, on devrait s'assurer que tous, en particulier les enfants, aient accès à l'essentiel, non seulement pour survivre, mais aussi pour s'épanouir. On adopterait alors un principe éthique et on ferait vraiment usage de compassion et de solidarité dans une société juste.

Chloé était née elle aussi de père inconnu et elle ressemblait beaucoup à sa mère, ayant hérité de sa beauté et de son teint lumineux. Cependant, elle avait plus d'assurance et une forte résilience, ce qui allait changer le cours de sa vie. Bien qu'elle fût le portrait de sa mère, elle dégageait plus d'énergie et de force que Mélanie qui semblait vulnérable, était souvent triste et se comportait souvent en victime. On aurait dit une réplique en miniature et en plus solide. Ainsi, la vie permit à cette enfant de s'en sortir alors que les autres, moins chanceux, allaient finir par se faire avaler par le système. En effet, on plaça tous les garçons en familles d'accueil, en foyers de groupes et même dans des centres d'accueil, selon leurs problèmes et la disponibilité des services.

C'est toujours ainsi que les choses se passent quand il y a de la violence. Quelles qu'en soient les causes, on cherche à «casser» le comportement des enfants et on les place, pour leur imposer de sévères mesures disciplinaires, à «tolérance zéro». Bien sûr, si les actes ne sont pas trop graves et s'il y a de la place dans des familles d'accueil, on y envoie les enfants avec deux, quatre et même six autres petits. Ou encore on les place dans des foyers de groupe, ces milieux dits «neutres», où des éducateurs supervisent une douzaine de jeunes à la fois. En général, on y met l'accent sur l'encadrement et la discipline, rarement sur les liens affectifs et les contacts humains. C'est que, dans ces milieux, on préconise des interventions basées sur les symptômes (comportements inacceptables) plutôt que sur les causes (négligences et souffrances). Il en est de même malheureusement dans plusieurs de nos services de soins, qu'il s'agisse de santé physique ou de santé mentale.

Dans tout cela, où est la compréhension? Quels sont les efforts de prévention?

On enleva donc à Mélanie ses fils, pour les placer ici et là, sur le mode punitif, pendant de longues périodes et pour diverses raisons: opposition, violence, absentéisme scolaire. L'un d'eux fut placé jusqu'à l'âge de 18 ans. On oubliait que chez tous ces enfants, le dénominateur commun était la négligence et une incapacité temporaire de la mère. On oubliait surtout qu'il aurait été préférable de soutenir cette mère et ses enfants sur le mode affectif, ce qui n'aurait d'ailleurs pas exclu une séparation provisoire.

Pourtant, dans les notes des intervenants sociaux, on lisait clairement les raisons de leurs problèmes : « La mère est dépassée. Elle ne peut pas bien s'occuper de ses enfants. » « La mère manque de ressources. » « La mère laisse souvent les enfants seuls et elle ne peut subvenir à leurs besoins ». « La mère n'est pas disponible. Elle est incompétente. »

N'aurait-il pas mieux valu l'aider, cette mère ? Lui offrir du répit et améliorer ses compétences ? Au lieu de cela, on allait lui enlever ses enfants un à un et porter des jugements définitifs et déplorables sur ses limites et ses incapacités. On allait aussi, et surtout, pénaliser ses enfants en les considérant comme des cas problèmes et en ternissant à leurs yeux l'image de leur mère.

On se doute de la suite quand on lit les notes des intervenants destinées au tribunal : « C'est une mère incompétente. Il faut lui retirer ses enfants pour les protéger contre elle et contre eux-mêmes. Il faut agir pour leur bien. »

Les garçons n'allaient jamais s'en remettre.

Bien sûr, ces enfants étaient conscients des mauvaises conditions dans lesquelles ils vivaient. On le leur répétait bien assez, chez les voisins et à l'école. De plus, ils avaient entendu maintes fois les commentaires des intervenants qui s'étaient succédés à la maison. Pourtant, il se passait souvent des mois sans que personne se présente dans la famille. Puis soudain, après un signalement sans doute, c'était le branle-bas de combat, les mesures d'urgence, les menaces et toute la paperasse qui s'ensuivait, sans pourtant qu'on trouve le temps de les aider. Parfois on plaçait l'un des enfants ; pourquoi lui plutôt qu'un autre, nul ne pouvait le dire. Ensuite, tout retombait à zéro, les visites cessaient, puis on se décourageait à nouveau de l'absence de motivation de la mère et le cycle repartait de plus belle.

Les garçons savaient qu'ils manquaient de tout, et en particulier de leur mère. Ils savaient qu'elle avait des problèmes et qu'elle n'était pas là très souvent. Pourtant, ils l'aimaient, ils la trouvaient belle et, quand elle allait bien, ils savaient aussi qu'elle les prendrait avec elle, qu'elle leur ferait des caresses et qu'elle rirait avec eux. Pour eux, ces périodes de grandes joies rachetaient toutes les périodes d'ennui et de négligence. Alors, elle leur faisait des cadeaux et des câlins, comme si rien ne comptait plus au monde que ses enfants. Et cela suffisait à les rassurer sur l'amour de leur maman.

Ils l'aimaient et ils ne la jugeaient pas, car ils savaient qu'elle pouvait à peine prendre soin d'elle-même. Ils étaient même disposés à partir temporairement pour qu'elle puisse guérir, mais ils ne voulaient certes pas la quitter... à jamais.

Un jour, après de multiples visites, retards et tracasseries administratives et judiciaires, on les plaça tous. Et cette fois, ce fut pour de bon. Les enfants avaient reçu tellement de menaces de leur entourage qu'ils s'y attendaient. Ils étaient prêts, mais s'ils acceptaient le verdict, c'était surtout pour protéger leur mère, même s'ils savaient qu'ils allaient vivre dans des conditions difficiles. Cependant, ils n'étaient pas assez naïfs pour croire que cela se faisait «pour leur bien», comme le répétaient volontiers les intervenants qui se succédaient dans leur dossier. En fait, ces garçons plaignaient leur maman, mais ils ne lui en voulaient pas. Ils l'aimaient comme jamais ils aimeraient quelqu'un de leur vie. Ils la trouvaient plus belle de jour en jour et ils savaient qu'elle ne pouvait prendre soin d'eux comme il le fallait puisqu'elle ne prenait même pas soin d'elle, sauf en de rares occasions.

L'aîné avait été placé vers l'âge de 5 ans. Quelques années plus tard, je fis sa connaissance. Il habitait toujours dans un foyer d'accueil. Un jour, lors d'une consultation médicale, ce garçon (qui avait maintenant 11 ou 12 ans) me confia, comme à un ami, qu'il adorait sa mère, qu'il y pensait tous les jours, et même plusieurs fois par jour, et qu'il rêvait d'elle la nuit. Il m'affirma que plus tard, il espérait vivre avec elle pour l'aider. Il allait gagner beaucoup d'argent et lui acheter tout ce qu'elle désire, et «enfin elle sera heureuse», me dit-il. Il termina en déclarant avec beaucoup de détermination qu'un jour elle serait prête ! Quand je lui demandai s'il pensait vraiment que ce jour viendrait, il me répondit du tac au tac, d'un air entendu : « Bien sûr. Ce n'est qu'une question de temps. »

Quant à la petite dernière, Chloé, elle ne fut jamais placée par les services officiels parce que sa grand-mère, la mère de Mélanie, avait vu venir le coup et l'avait prise avec elle, jouant ainsi le rôle préventif de mère-substitut. Elle n'avait malheureusement pas eu assez d'énergie pour offrir aussi cette bouée de sauvetage aux garçons. Chloé bénéficia donc de tout l'amour, de toute l'attention et de toute la protection dont un enfant a besoin. La grand-mère vouait même à sa petite-fille un véritable culte.

Cette relation m'intéressa particulièrement. Cette grand-mère avait pratiquement enlevé Chloé à sa fille et je me disais souvent qu'un lien aussi intense n'était justifié que par son sentiment de culpabilité envers Mélanie, avec qui elle semblait avoir échoué en tant que mère. Elle avait donc l'immense désir de faire mieux, au moins une fois dans sa vie, en garantissant le bonheur de sa petite Chloé.

En effet, cette grand-maman n'avait pas obtenu beaucoup de succès avec sa fille, non pas que celle-ci fut une mauvaise personne, mais elle avait un caractère difficile et, surtout, des fréquentations douteuses. Elle se retrouvait donc fréquemment dans les excès. Mélanie n'avait été ni prévue ni désirée, et à l'époque c'est un peu à regret que sa mère avait accepté de ne pas interrompre sa grossesse. D'ailleurs, elle l'avait souvent regretté au plus profond d'elle-même. Après la naissance de Mélanie, la vie fut difficile et la mère souffrit de dépression, ce qui n'aidait en rien l'établissement d'un lien solide avec sa fille.

En réalité, ce lien ne s'était jamais vraiment créé. Aujourd'hui, la mère de Mélanie espérait sans doute, inconsciemment du moins, rattraper les choses en s'occupant de la petite Chloé.

Mélanie était vulnérable au plus haut point. Et elle se rendait souvent dépendante des hommes qu'elle rencontrait. Ceux-ci repartaient vite après l'avoir utilisée pour leur plaisir personnel, et plusieurs d'entre eux s'enfuirent en lui laissant un enfant sur les bras.

La vie continua et Mélanie eut deux autres enfants, Dino et, cinq ans plus tard, Dédé. Ces deux enfants sont à mes yeux des rescapés, car depuis leur naissance, leur maman a changé, elle-même étant une rescapée de la détresse.

Le père de Dino faisait partie des «inconnus», des non présents et des non concernés, du moins jusqu'à ce que l'enfant atteigne l'âge de 4 ans. À ce moment-là, il voulut le prendre en charge, non pas pour son bien, mais pour le rendre semblable à lui-même. Il cherchait à en faire un «homme», comme lui, et il lui parlait de femmes et de sexualité, l'invitait au lit avec sa compagne, lui faisait regarder des films érotiques et s'apprêtait à lui enseigner l'a-b-c du parfait petit voleur. Pourtant, quand il était chez son père, l'enfant devait se débrouiller seul, se garder, faire ses repas, s'occuper de son linge, se laver, se coucher… C'est ainsi que cet homme montrait à son fils ce qu'il appelait «la vraie vie»! Mélanie refusa, avec raison, de laisser Dino sur cette lancée.

Entre Mélanie et Dino, il y avait une véritable histoire d'amour. Ces deux-là avaient créé un lien si étroit qu'il devenait difficile de les séparer. Ce fut même un tour de force que de réussir à convaincre Mélanie d'inscrire Dino à la maternelle, car elle souhaitait garder son fils près d'elle une année de plus. Cependant, une relation aussi fusionnelle pouvait être nuisible puisque la mère se sentait parfois envahie et épuisée par tant d'ardeur, et que l'enfant se laissait difficilement approcher par les autres. Il allait jusqu'à refuser de parler à d'autres personnes qu'à sa maman.

On aurait dit que Dino rassemblait, à lui seul, toute l'énergie de ses frères et de sa sœur, et qu'il s'en servait pour réussir l'impossible : guérir Mélanie en l'aimant à l'étouffer.

Pendant les deux premières années de sa vie, il pleurait dès que sa mère s'éloignait de lui, ne serait-ce que quelques instants. Parfois, il se comportait comme un homme jaloux et possessif. Il la chérissait tant qu'il craignait tout ce qui semblait mettre en péril son attachement pour elle.

Il se méfiait également de moi, son médecin. Par malheur, au cours de sa petite enfance, il subit un grand nombre d'otites, ce qui l'obligea à venir me voir à plusieurs reprises. Ses infections revenaient si souvent que je finis par me demander si les otites ne coïncidaient pas avec un désir inconscient de se rendre sourd aux autres. En effet, il ne parlait à personne, sauf à sa maman. Dès qu'il s'approchait de la clinique, il se mettait à hurler. Dans mon bureau, il pleurait jusqu'à la fin de la consultation. On aurait dit qu'il souffrait d'une douleur extrême. Et cela le rapprochait encore plus intimement de sa maman, car il se collait à elle, tentant de se soustraire à l'examen qui, d'une fois à l'autre, devenait plus difficile à faire.

Dino éprouvait un sentiment d'extrême dépendance envers sa mère. Il pensait uniquement à elle et il désirait passionnément la toucher, la caresser et sentir son odeur corporelle. Il en avait besoin, c'était pour lui une question de vie ou de mort, de la même manière qu'au temps du séjour dans son sein, quand le cordon ombilical lui permettait de vivre.

Il avait développé un système complexe de jeux fétiches qui lui servaient d'exutoire dans les moments où il devait s'éloigner de Mélanie ou la partager avec d'autres. Il se fourrait alors le nez dans un vêtement imprégné de l'odeur maternelle. Quand il se sentait en danger, sa préférence allait au bracelet de cuir qu'elle portait, et il le respirait pendant des heures, le temps que passent ses inquiétudes. Cela suffisait habituellement à le soulager. Une fois, parce qu'elle était hors d'elle, Mélanie enleva subitement son bracelet et le lui jeta en pâture… à la grande satisfaction de l'enfant, puisqu'il se calma sur-le-champ.

Il protestait contre tous ceux qui osaient approcher sa maman, comme s'il la défendait, en preux chevalier, repoussant l'intrus, cet envahisseur potentiel, par ses pleurs et ses cris. Même les plus téméraires fuyaient. Je m'y suis moi-même frotté, surtout lors des visites pour ses otites récidivantes.

J'avais l'impression qu'il portait en lui toutes les attentes non comblées des enfants qui l'avaient précédé et qui, eux, n'avaient jamais eu accès à cet amour. Bien que la fusion mère-enfant ait certainement comporté des aspects pathologiques et même si j'étais convaincu qu'il fallait agir pour les dégager de cette emprise, je trouvais quand même un sens à la « mission » que l'enfant s'était donnée. Mais je craignais pour son développement, car il s'accordait à lui-même très peu de temps. À 2 1/2 ans, il ne parlait pas encore. Il ressentait constamment la frustration de ne pas posséder entièrement sa mère, malgré tous ses efforts pour lui plaire. Cette dynamique l'empêchait de se mobiliser pour autre chose.

Quant à Mélanie, c'était la première fois qu'elle vivait un amour sans bornes et sans contraintes. Elle laissait déferler sur cet enfant sauveur une charge de sentiments qu'elle n'avait jamais pu offrir à quiconque, auparavant et qu'elle avait trop longtemps retenue. C'était son cinquième petit et elle découvrait enfin la possibilité de donner et de recevoir. Elle n'avait jamais connu cela, avec aucun des nombreux hommes de sa vie. Cela était doux pour elle, mais amer aussi, car elle se rendait compte de la fragilité de la chose. Le garçon, lui, ne demandait rien de mieux. En général, les enfants ne mettent aucune limite à leur amour pour leur mère, et leur sentiment est souvent exclusif et passionnel. Cela fait partie de la vie et du développement humain, avec ce qu'on appelle les « complexes ». Et l'enfance est un âge où tout compte, chaque étape étant si éphémère !

Par ailleurs, Dino et Mélanie étaient continuellement insatisfaits. Une relation de ce genre entre un adulte et un enfant, relation exclusive et un peu incestueuse dans le sens propre du terme, reste toujours inassouvie, car elle n'a rien à voir avec une relation entre adultes. La mère et son fils vécurent une histoire d'amour comme on en trouve peu et ils s'attachèrent fortement l'un à l'autre, mais sous le signe de l'insécurité, ce qui finit par étouffer Mélanie et ralentir Dino dans son développement. Mélanie, lucide, me demanda alors de l'aider afin de créer une distance avec Dino. Elle voulait simplement remettre les choses à leur place. Vers l'âge de 3 ans, la lune de miel devait prendre fin.

Cela ne se fit pas sans heurts. Pourtant, à mon grand étonnement, l'enfant commença à s'ouvrir dès qu'on eut pris des mesures pour le distancer de sa mère, en l'inscrivant dans des ateliers de stimulation et en lui proposant diverses activités. Au début, il ne fallait pas qu'il puisse la voir, même de loin, sinon tout était fichu pour la journée. Cependant, quand il en était complètement séparé, il finissait par se calmer et se laisser apprivoiser, d'abord par les adultes puis, petit à petit, par les enfants de son groupe. Il se mit à parler clairement, à utiliser des mots pour exprimer ses besoins, ses colères et ses frustrations, de sorte qu'il n'avait plus à pleurer ou à crier. Il alla jusqu'à rire avec moi quand je le taquinais pour ses désormais « faux fétiches » qu'il essayait encore de traîner, sans grande conviction, comme un enfant tente de conserver une tétine ou une doudou par principe, en sachant bien au fond que ça commence à lui peser.

Puis, à 4 ans, il fit son entrée à l'école. Il attendait même ce moment avec impatience! Le premier jour, debout sur les marches extérieures, il dit à sa mère de ne pas s'inquiéter, qu'elle pouvait partir. Il était donc capable désormais de monter seul l'escalier et la vie. Le milieu scolaire, avec son train-train de routines obligatoires et communautaires, de même qu'avec son lot d'apprentissages à faire, lui permit de rattraper complètement son développement et de se mettre à niveau avec les autres enfants. Au premier bulletin, l'enseignante écrivit un commentaire à ce point élogieux que Mélanie en versa des larmes de fierté. Elle s'empressa d'en faire une copie et de venir me le montrer. Elle se sentait libérée et épanouie. Ses mauvais souvenirs étaient loin et, désormais, elle se croyait intouchable.

Quelques mois plus tard, Mélanie eut un autre enfant: Dédé.

Depuis environ un an, la jeune femme sortait avec un jeune homme d'à peu près son âge. C'était sa première fréquentation sérieuse, elle se sentait comme une adolescente. Pour la première fois, elle avait des picotements dans le ventre, le goût unique de prendre la main de l'autre, l'attente qui n'en finit plus avant de se revoir, bref tout ce que l'amour procure d'enivrant.

Georges était de nature timide et réservée. Il avait une allure tout à fait correcte, en comparaison des anciens amoureux de Mélanie. Il était aux petits soins avec elle. Tous les deux s'aimaient et voulaient se marier. Ils avaient désiré cet enfant plus que tout. Georges habitait encore chez ses parents, il avait un bon travail et on disait qu'il était habile et talentueux. Mélanie ne lui trouvait pas de défauts et elle me le décrivait comme «un super bon garçon» qui n'était jamais sorti et qui était homme à tout faire. Elle avait enfin rencontré l'homme de sa vie. C'est dans ces conditions qu'arrivait Dédé, ce petit homme, un sixième enfant pour Mélanie, un premier pour Georges.

Comme Chloé, Dédé avait tout de Mélanie. Il lui ressemblait et on reconnaissait son grand sourire, ses beaux yeux et ses cheveux noirs frisés. Même Dino en était fier. D'emblée, il en fit son ami, prêt à tout partager avec lui, y compris sa maman, et pour la vie. Cependant, avant que l'enfant miracle vienne au monde, il se passa des événements troublants pour la petite famille.

La grossesse avait été difficile pour Mélanie sur le plan médical et les deux derniers mois furent douloureux. Elle manquait de patience et implorait le ciel que la délivrance survienne. Un jour, elle se rendit à la «vente-trottoir» de la rue Ontario. Dino voulait qu'elle lui achète des babioles, mais elle refusa. Il insista et elle tenta de le calmer, mais il ne faisait qu'en rajouter et il finit par crier, ce qui ne lui était pas arrivé depuis longtemps. Il devait sentir la fragilité de Mélanie et cela l'inquiétait. Il fit ce que tous les enfants font quand ils sentent de l'insécurité, il mit à l'épreuve les limites de sa mère. Celle-ci, n'en pouvant plus, commença à crier après lui et finit par le tirer par le bras, de façon un peu brutale et sur le bord de la crise de nerfs. Une foule ébahie et scandalisée assista à cette scène entre les deux personnages, une grande et un petit. On s'empressa non pas de l'aider, mais plutôt de la dénoncer à la «police des enfants», comme on appelle couramment la DPJ dans le quartier.

Le mal était fait.

On procéda à une enquête et, rapidement, on fit surgir au grand jour le passé de Mélanie. Tout de suite, on douta de son mode de vie actuel qui, selon les autorités, ne pouvait avoir changé si vite. Elle fut «jugée» par les intervenantes, sans procès et sans raison, comme une mère incompétente et inapte à avoir un enfant. On lui signifia qu'elle pouvait perdre Dino. N'était-ce pas ce qui était arrivé à ses autres enfants? À cinq jours de son accouchement, on lui affirmait même qu'elle ne pourrait pas garder son nouveau bébé. Et on y verrait à l'hôpital…menaçait-on. Une horreur !

Pour la future mère, les cinq jours qui suivirent furent remplis de cauchemars. Elle était convaincue qu'on allait lui prendre son bébé tant attendu et conçu dans l'amour. Ce furent cinq journées de pleurs et de désespoir. Nous n'arrivions pas à la calmer, malgré notre soutien et la confiance qu'elle accordait à toute l'équipe du Centre. On l'avait menacée du pire, de façon cruelle, et c'est dans l'angoisse la plus profonde qu'elle se rendit à l'hôpital au début des contractions. «Pourquoi me font-ils ça… maintenant, alors que tout va bien, que j'ai la chance d'avoir une nouvelle vie ? Et même Dino va bien à l'école, tu as vu les éloges du professeur ? »

Pourquoi, en effet ? Je me le demande encore. On ne ferait pas cela à son pire ennemi !

Dès lors, Dino se mit à faire des siennes et même à régresser. Il avait entendu les gens parler de la menace qui planait. Il voyait sa mère dans tous ses états, il sentait la colère de son beau-père, habituellement si peu expressif, et il finit par partager l'angoisse des adultes. Et devant tant d'incertitudes, il en remettait.

Pourtant, tout allait bien. Le couple était stable depuis plus d'un an. Georges et Mélanie projetaient d'habiter ensemble à l'arrivée du bébé. Ils s'étaient trouvé un logement qu'ils s'apprêtaient à occuper. Ils avaient planifié l'aménagement de la chambre du bébé et Mélanie avait déjà accumulé un trousseau pour que l'enfant ne manque de rien. Seule ombre au tableau, la jeune femme n'avait pas de domicile fixe au moment du signalement. En effet, elle n'avait pas trouvé de logement correspondant à ses pauvres moyens. Cependant, des amis et des parents s'étaient offerts pour l'héberger en dépannage et elle n'avait que l'embarras du choix.

On voit régulièrement ce genre d'entraide dans le quartier, pour aider quelqu'un à se tirer d'affaire, que ce soit parce que les logements sont de plus en plus rares et inabordables ou parce que la malchance s'abat sur quelqu'un. Cependant, l'«agent social» considérait que cette situation était inacceptable et qu'elle n'augurait rien de bon pour l'avenir des enfants, surtout en tenant compte du lourd passé de « madame », ainsi que cet agent me le disait au téléphone. «Vous voyez bien, docteur Julien, qu'elle n'a aucun sens des responsabilités ! », s'exclama-t-il bêtement.

Lors d'un autre entretien avec lui, je plaidai la cause de Mélanie, celle-ci m'ayant rapporté que l'agent l'appelait chaque jour pour renouveler ses menaces de placer les enfants. Je lui demandai de cesser de harceler cette femme. «Vous m'accusez de harcèlement ? », me répondit-il, l'air menaçant. « Je ne vous accuse de rien, dis-je, je vous demande simplement d'arrêter de menacer une pauvre femme sur le point d'accoucher. Votre mandat consiste à protéger les enfants et ce que vous faites, c'est de mettre en danger la santé de la mère et de l'enfant à naître. C'est de l'abus de pouvoir. Vous ne l'emporterez pas au paradis», lui répondis-je, hors de moi…

Les gens de pouvoir, quels qu'ils soient et où qu'ils soient, surtout ceux qui détiennent de petits pouvoirs dans la vie quotidienne, n'appliquent pas souvent la règle essentielle du respect envers autrui. Or, pouvoir et respect devraient toujours aller de pair, dans toute situation, sans quoi il y a trop de risque de favoriser une grande insensibilité et des abus. Qui plus est, quand il s'agit d'enfants, de personnes vulnérables, faibles ou pauvres, les gens de pouvoir devraient utiliser le respect comme outil premier d'intervention. Malheureusement, même chez ceux qui se consacrent au bien public, il arrive souvent que cette règle fondamentale n'existe tout simplement pas. Dans les grands systèmes, on se fie malheureusement trop souvent à la bonne foi des intervenants. C'est un trop grand risque à prendre !

Bientôt, au milieu de la nuit, Mélanie accoucha d'un bébé en pleine forme qu'elle appela Dédé. Son bonheur fut vite terni par l'angoisse de se faire voler son enfant à n'importe quel moment. Elle décida de l'allaiter, même si ce n'était pas son choix premier, car elle n'aimait pas allaiter. Lors de ses tentatives antérieures, elle avait coupé court, pour plusieurs raisons (douleurs, gerçures, manque de temps et faible quantité de lait). Cette fois, elle allait allaiter uniquement pour mettre des bâtons dans les roues des agents, pour créer un obstacle de plus si on voulait la séparer de son enfant. Elle l'aurait donc à l'œil, auprès d'elle, le plus souvent possible.

Pendant ce temps, l'enquête se poursuivait. Les agents rencontraient les proches de Mélanie et de son conjoint, et ils se rendaient à l'école pour surveiller Dino. Ils me demandèrent son dossier médical et interrogèrent tous les intervenants de notre équipe. «Vous êtes sûrs qu'il va bien? Avez-vous des doutes sur la mère?» «Dino a été mêlé à une bataille, dans la cour de l'école, trouvez-vous cela normal?» «Ils n'ont pas encore de domicile fixe, que va-t-il leur arriver?»

En bons inquisiteurs, ils cherchaient la bête noire. De notre côté, nous affirmions tous que la vie de Mélanie avait complètement changé, qu'elle était stable et aimante envers ses enfants. Nous les assurions que son passé était derrière elle, qu'il fallait l'oublier maintenant, comme elle-même essayait de le faire. Nous leur disions que les petits étaient en sécurité, que nous étions en lien avec eux, que nous soutenions cette jeune famille, de façon constante. «Oui, mais…», nous répondait-on toujours. «Et s'il arrivait quelque chose, et si le couple se séparait, et s'ils ne trouvaient pas de logement…». Or, malgré leur insistance, ils ne purent rien leur reprocher.

Le petit Dédé s'avérait être un bébé parfait. Je pense, mais c'est certainement un effet de mon imagination, qu'il a souri dès la naissance, tellement il était fier de vivre. Contrairement à Dino, il ne pleurait jamais. Exceptionnellement, pour m'assurer que tout allait bien, je le voyais chaque semaine. Je tenais surtout à protéger leurs arrières. Le père et la mère étaient toujours présents aux rencontres et n'en finissaient plus de me questionner sur les meilleurs soins à donner et sur ce qu'il fallait faire dans tel ou tel cas. En attendant d'entrer dans leur logement, qui n'était pas encore prêt, ils habitaient chez la mère de Mélanie qui, elle aussi, les aidait malgré ses moyens limités ; en effet, elle était en phase de réadaptation à la suite d'un accident cérébro-vasculaire qui l'avait laissée partiellement paralysée et aphasique.

Parfois, Mélanie et le petit Dédé venaient passer toute la journée avec nous, au Centre. La jeune maman s'y sentait plus en sécurité et elle pouvait parler avec les intervenants, particulièrement avec Sylvie, à l'accueil, qui la comprenait puisqu'elle avait elle-même vécu son lot d'irrespect et d'injustices. Mélanie avait aussi l'impression qu'on ne viendrait pas prendre son enfant dans nos locaux. Son angoisse était toujours aussi vive, car on poursuivait l'enquête avec acharnement. Tout allait bien, pourtant. La mère se portait à merveille, l'enfant était heureux, il se sentait en sécurité et le couple s'entendait… mais tout cela ne suffisait pas, comme si on ne croyait pas que c'était possible. On cherchait à en savoir plus sur ce couple suspect et on voulait aller jusqu'au bout, malgré l'évidence des faits.

On poussa encore plus loin l'acharnement. On exigea bientôt des évaluations psychologiques approfondies des capacités parentales de madame et de monsieur. On réclama un examen scientifique de la situation. La Direction de la Protection de la Jeunesse utilise souvent ce genre de tactiques pour arriver à ses fins. Cela s'avère coûteux et pas si objectif qu'on veut bien le faire croire. Il s'agit d'explorer, en quelques heures, le fondement même des personnes et leur histoire traumatique. On retrace leur parcours, on cherche leurs côtés sombres (même s'ils n'en ont pas), on essaie de codifier leurs forces et leurs faiblesses, on analyse de façon théorique leur capacité d'être parent, et tout cela se passe dans un bureau fermé. Le questionnaire se déroule habituellement pendant deux périodes de quatre heures chacune, sans témoin, entre un psychologue et un «patient». La personne scrutée de la sorte sait qu'elle a tout à perdre. Elle devient anxieuse, craintive et soumise.

Récemment, une mère ayant vécu cette expérience me confia que ce furent les pires moments de sa vie. «Je me suis sentie comme une moins que rien, je n'avais aucun autre choix que de répondre à des questions que, souvent, je ne comprenais même pas, sinon j'aurais été accusée de refuser de collaborer… Après quatre heures de ce régime, j'avais soif, j'étais fatiguée et «la madame» est allée se chercher un café sans m'en offrir un. Elle m'a forcée à répondre à toutes ses questions sur mon passé, à revenir sur les sentiments les plus douloureux, même sur mes blessures de victime, même sur des choses que j'avais réglées depuis longtemps et dont je ne voulais plus parler. C'était l'enfer. Je savais que si je ne répondais pas, j'allais être jugée négativement.»

À la fin d'une telle comparution, les agents rendent leur verdict: capable ou pas capable. Le tout est assorti de recommandations catégoriques et incontournables pour soutenir un éventuel jugement de la cour.

Mélanie échoua au test. On la qualifia d'incompétente, de personnalité instable et de mère inapte à s'occuper d'un enfant. Le père, lui, sans reproches et sans ombre au tableau, passa le test haut la main. Toute sa vie, Mélanie avait été une victime, abusée, dépendante, blessée. Par ce système, elle le redevenait. Et elle le serait pour toujours, quoi qu'elle fasse. Les changements radicaux des deux dernières années, son engagement maternel de tous les instants envers Dino et Dédé, sa relation amoureuse saine, son cheminement remarquable en stabilité et en maturité, rien de cela ne comptait. Seul le passé faisait foi de son incapacité de mère. Et ce passé, elle le traînerait toute sa vie.

Le conjoint, lui, fit bonne figure auprès de la psychologue. Il était, comme on dit, un «bon garçon», il avait mené une bonne vie. Il n'était pas sorti, comme le font la majorité des gens. Il avait préféré rester à la maison avec ses parents. On disait qu'il prenait bien soin de sa mère et qu'il avait un passé propre. Il ne pouvait donc être qu'un bon père, un bon parent et un homme utile à la société. On ne se donna pas la peine de fouiller son intimité comme on le faisait avec tant d'empressement pour Mélanie. On n'eut pas l'occasion d'apercevoir ses côtés sombres, sa jalousie extrême par exemple, ou sa paranoïa et sa tendance à tout contrôler, qu'il allait bientôt exercer sur sa femme. Dans son cas, puisqu'on ne cherchait pas, on ne trouva pas. On ne découvrit pas son angoisse de possession, qui l'amènerait pourtant à adopter bientôt des comportements plus dangereux encore que tout ce que le passé de victime de Mélanie aurait pu produire. D'emblée, on le jugea bon père. C'est ainsi que l'on détermine la capacité parentale des gens…

Lorsque vint le temps pour le tribunal de prendre une décision légale, le juge commença par mettre de côté l'hypothèse d'un placement. Il confia la garde des deux enfants aux parents, supervisés de très près par la DPJ, et spécifia que sa décision était justifiée par la présence du père, jugé «bon parent». Et selon la recommandation de la psychologue, s'il advenait qu'il y ait séparation, la mère seule ne serait pas autorisée à garder ses enfants. On donnait donc tout le pouvoir au père qui, dans les circonstances, allait en abuser. Cela signifiait qu'en cas de conflit dans le couple, les enfants seraient enlevés illico à Mélanie. On ouvrait la porte à un père somme toute correct, mais au même moment on entrebâillait une autre porte, qui laissait entrer un mari jaloux et possessif, jouissant désormais d'une emprise exceptionnelle sur sa femme, avec l'appui de la cour!

Dédé avait 4 mois et se portait à merveille. Dino, lui, commençait l'école et faisait chaque jour des progrès remarquables.

Il n'était plus malade. Georges avait accepté de l'«adopter», en le reconnaissant officiellement comme son propre fils. Les parents venaient d'emménager dans un logement assez spacieux et propre, à prix abordable. Pour le moment, ils s'aimaient et adoraient leurs enfants.

Toutefois, à la DPJ, on allait continuer à surveiller et à demander des comptes. À la première occasion, on allait sévir, «dans le meilleur intérêt de l'enfant», bien sûr…

SAMUEL ET LES « VOLEURS D'ENFANTS »

▼

Samuel est un petit garçon dont j'ai perdu la trace. Il disparut par une triste journée, pénétrant ainsi dans un monde inconnu et menaçant, sans espoir de retour, avec la complicité d'un système omnipotent et sans cœur.

L'enfant m'avait pourtant averti, il m'avait supplié de le protéger et de le retenir. Il ne voulait pas partir et surtout il m'exhortait à ne pas laisser faire « les voleurs d'enfants ». Ceux-ci vinrent toutefois, au moment et dans un lieu où on ne les attendait pas, et ils l'enlevèrent de force.

À plusieurs reprises, ce jour-là, il avait demandé à son père « d'accueil » de l'emmener me voir. Il avait même insisté. Pourtant, il n'était pas censé savoir ce qui se tramait au sujet de son avenir immédiat, mais il avait tout deviné. Les enfants sentent les choses bien avant qu'on leur dise, surtout quand ils sont directement concernés. Samuel était angoissé à l'idée qu'encore une fois dans sa vie se reproduise un drame qu'il ne connaissait que trop. Il n'avait que 6 ans et, déjà, il avait été déplacé au moins six fois, uniquement au cours de sa première année de vie. Quel destin tragique ! Il avait survécu aux autres malheurs, mais celui qu'il pressentait maintenant, tout son être l'appréhendait.

« Ne laisse pas les voleurs d'enfants venir me chercher », me supplia-t-il à plusieurs reprises, en larmes, quand il vint me voir avec son « père d'accueil ». Que pouvais-je faire ? Que devais-je lui dire ?

Samuel avait finalement été accueilli dans une famille adéquate à l'âge de 5 mois. Il y était depuis presque cinq ans. Le père et la mère d'accueil déclaraient volontiers aux gens de l'entourage que ce serait leur enfant jusqu'à 18 ans ce qui, dans le jargon des familles d'accueil, signifie « à vie ». L'homme et la femme juraient qu'ils garderaient toujours Samuel, qu'ils assureraient sa protection et qu'ils l'aimeraient comme leur propre fils. Après avoir appris la triste histoire de cet enfant, ils s'étaient promis de faire en sorte que de tels malheurs ne lui arrivent plus jamais.

Ce n'était pas une famille d'accueil ordinaire. Dans le groupe des parents d'accueil, ils étaient souvent cités en exemple et on les comptait parmi les plus engagés. Ils avaient déjà deux enfants à eux et, en accueillant Samuel ainsi que son frère de 6 mois, ils se retrouvaient avec quatre enfants, ce qu'ils considéraient comme le nombre idéal. Après mûre réflexion, ils avaient décidé de ne pas séparer les deux frères en se disant que leurs chances de s'en sortir augmenteraient ainsi et qu'ils pourraient établir avec eux des liens intimes et porteurs. Quelque temps avant l'incident dont il sera bientôt question, leur travailleuse sociale me les avait présentés comme étant la meilleure famille d'accueil de tout Montréal. C'était la première fois que je voyais Samuel et son frère cadet.

Au moment de l'« adoption », à l'âge de 15 mois, Samuel avait déjà une feuille de route longue et chargée. Agressions, abus, carences et abandons, faim et négligence, il avait tout vécu et tout subi, dans l'ordre et dans le désordre. Il revenait de la guerre, celle qui ne fait pas de quartiers, celle qui blesse tous ceux qui y participent et qui fait des victimes dans tous les camps. Les seuls qui ne font pas partie des combattants sont les gens qui détiennent le pouvoir. Ce sont aussi les seuls à tirer un avantage de ces luttes inhumaines.

Samuel avait été littéralement sauvé par un livreur de pizza. Lors d'une livraison de routine, celui-ci avait remarqué ce bébé laissé à lui-même parmi des adultes « sur le party ». Ces derniers frôlaient l'état végétatif, ils étaient tous plus défoncés les uns que les autres, et pas du tout intéressés à l'enfant qui baignait dans ses excréments et qui, de toute évidence, était affamé. Un peu plus tard, cet homme rapporta à son entourage qu'en voyant les grands yeux tristes de cet enfant si jeune, il avait eu l'impression qu'il l'implorait de faire quelque chose. Autour de lui, les adultes n'avaient connaissance de rien. Ils devaient avoir une faim de loup, car ils se jetèrent comme des bêtes sur la pizza, ignorant le livreur.

Celui-ci se retrouva subitement seul devant le petit Samuel qu'on avait oublié de cacher à son regard. Il sortit de l'appartement, perturbé par la scène à laquelle il venait d'assister. Il hésita un instant, se demandant s'il devait rejeter cette vision cauchemardesque et filer son chemin, ni vu ni connu. Toutefois, en y pensant bien, il se rendit compte qu'il ne se le pardonnerait jamais. Il entra donc dans une cabine téléphonique et appela la police, de façon anonyme pour éviter des ennuis avec son employeur. Grâce à son intervention, Samuel fut sauvé *in extremis*.

Aujourd'hui, nous savons que dès le début de sa vie, cet enfant avait vécu un cauchemar, qu'il avait été à la merci de gens sans scrupules, ayant commis tous les crimes possibles contre lui. Nous savons qu'il n'y avait eu personne pour l'aimer et en prendre soin. Après l'appel fait à la police, la DPJ s'en est mêlée. Samuel avait alors un peu plus de 1 an. On le retira définitivement à sa mère qu'on avait trouvée ce jour-là dans un état lamentable, avec un groupe d'amis peu recommandables.

Samuel fut d'abord placé dans une famille d'accueil « de transition ». On appelle ainsi ces familles pour signifier qu'il s'agit de lieux de passage, d'endroits où on ne restera pas longtemps. On est là en attendant mieux. Dans ces milieux, les gens ont pour consigne de ne pas s'attacher à l'enfant. Il paraît que c'est « pour leur bien » et « pour le bien de l'enfant ». Ces familles d'accueil « de transition » doivent combler les besoins physiques des petits et leur offrir de la sécurité, mais surtout pas d'amour. Comme la situation est passagère, ce serait risqué, affirme-t-on dans les milieux officiels ! Or, ces enfants sont « en attente » pendant des semaines et même des mois… On veut que ces lieux soient neutres, un peu comme des salles d'attente, des endroits souvent confortables, tenus par des gens bien, mais tellement mal adaptés aux enfants ! Ceux-ci s'y retrouvent avec l'espoir qu'on leur déniche un milieu qui leur donnera amour, compassion et stabilité, bref tout ce qui permet leur développement. En attendant ce monde meilleur, ils reçoivent de l'attention, bien sûr, une certaine sécurité, de l'encadrement et des aliments. On les éloigne de l'horreur, c'est vrai, mais ce sont des enfants que diable, et les enfants sont faits pour être aimés !

Dans un climat de catastrophe, on agit vite pour donner à l'enfant un semblant de famille et une protection. Or, ces familles qui veulent bien faire sont souvent très démunies envers le nouveau venu. On leur en dit peu sur lui, alors qu'il est en état de choc. La plupart du temps, les familles se débrouillent seules, sans soutien. J'en ai connu qui ne savaient strictement rien de l'enfant qu'elles accueillaient, généreusement d'ailleurs, ni de sa psychologie, ni de son drame. Les parents ignoraient tout de son état de santé et des médicaments qu'il devait prendre. Pourquoi ? Pour des raisons obscures, par ignorance ou sous prétexte de respecter le sacro-saint principe de la confidentialité. Or, ces gens ont la charge d'un petit qui souffre et qui doit affronter courageusement des étrangers disant vouloir son bien. Et cet enfant, il sort d'un gouffre ! Il vient de se faire couper des siens et de perdre ses objets intimes, comme ses nounous et ses toutous. La plupart du temps, il ne peut même plus faire confiance à personne…

C'était le cas de Samuel. Après une première famille d'accueil de transition, l'enfant fut placé dans d'autres milieux et pendant de courtes périodes, puisque personne n'en voulait. Il pleurait continuellement et, en plus, on le trouvait irritable et imprévisible. Il faisait tout pour se faire détester, car il n'avait vécu que haine et tyrannie. Il criait souvent et n'était jamais satisfait. Il allait jusqu'à vomir son lait et recracher les aliments solides. Il jouait aussi dans ses excréments et se frappait la tête sur les barreaux de son lit. On le rejetait donc assez rapidement. Il réussissait à mettre à bout même les plus résistants.

Ce ne fut qu'à la cinquième tentative, quand il se retrouva dans la famille X, que les choses tournèrent mieux pour lui. D'abord, ces gens décidèrent, dans un élan du cœur, d'en prendre soin à vie. Ils en avaient eu pitié dès son arrivée. Il faut dire qu'il faisait vraiment pitié. Il était dénutri, faible et anémique, et il semblait se diriger tout droit vers la mort. La mère d'accueil affirmait qu'il était mou « comme une poupée de chiffon », qu'il ne parlait pas et qu'il avait l'air infiniment triste. « On dirait qu'il va casser », me confiait cette femme, pour me faire comprendre ce qu'elle ressentait. Et c'est pour le sauver, *in extremis*, qu'elle et son conjoint décidèrent de l'intégrer chez eux comme leur propre enfant. Cela devait prendre au moins quatre ans avant que Samuel se sente en sécurité et devienne un peu plus normal. Or, au moment même où cela se passait enfin, il arriva une catastrophe. Samuel avait alors 5 ans.

La première image que j'ai pu me faire de cet enfant remonte à quelques années plus tôt, au moment où il a environ 15 mois. À ce moment-là, il est mal en point. Pas un mot ne sort de sa bouche, ni « papa », ni « maman ». Ne nous en étonnons pas outre mesure, puisqu'il n'a jamais connu ses parents! À qui pourrait-il bien parler en toute confiance? L'enfant ne tient pas sur ses jambes, il se déplace encore sur les fesses. Ce qu'il aime le plus, c'est d'être couché sur le dos, dans son lit, et de fixer le plafond pendant des heures, secouant la tête à gauche et à droite, dans un mouvement de balancier. On ne saura jamais s'il fait cela pour protester ou pour témoigner de sa souffrance. On le nourrit de force, car il refuse tout. Il ne tient même pas un biberon dans ses mains. D'ailleurs, il ressort plus de lait de son estomac qu'il en entre tant sa succion est faible. C'est peut-être aussi une manière de manifester son dégoût de la vie. Les aliments solides et en purée ne dépassent pas le bout de sa langue, toujours prête à recracher. Il ne regarde personne. On a le sentiment que tout le monde représente une menace pour lui.

Ce qui l'intéresse, c'est le plafond. Il semble y voir des images qui le rassurent et l'animent. Peut-être a-t-il emmagasiné dans son esprit divers scénarios dans lesquels le bien triomphe du mal, l'eau jaillit d'une fontaine, la lumière surgit des ténèbres, un ange vient à sa rescousse? Il est probable qu'au cours de ces sombres mois, c'est son imagination qui a épargné à Samuel le désespoir. Ainsi, et fort heureusement, il a pu garder dans une partie de son âme un espace de paix et de victoires, avec la perspective de jours meilleurs.

La résilience, c'est cette force qui jaillit de l'intérieur et qui autorise l'espoir, même lors des pires cauchemars. Certains accèdent à ce réservoir, ils l'alimentent et ne le laissent jamais se vider, même dans les situations les plus dramatiques. Chacun y va de sa façon et de ses méthodes, mais cette résilience habite tous les enfants. Quand on essaie d'éteindre la flamme, on dirait qu'elle devient encore plus vigoureuse. Samuel était ainsi. Il avait conservé cette force première, il l'avait entretenue, même si c'était uniquement dans un petit coin de son esprit.

Et maintenant que le danger était passé, il la contemplait et s'y ressourçait. Cependant, malgré tous les efforts et la tendresse que les nouveaux parents d'accueil déployaient pour toucher Samuel, ils arrivaient quand même difficilement à retenir son attention. De l'extérieur, l'enfant semblait plutôt dans un état végétatif. Il ne se laissait pas approcher facilement. Le seul qui réussissait à le bercer, c'était son père d'accueil. Cet homme en était très heureux et n'allait pas manquer, par la suite, de rappeler fièrement qu'il avait été le premier à avoir reçu la confiance du petit.

Pendant plusieurs semaines, on continua à le nourrir, pour qu'il gagne quelques livres, et à l'habiller pour qu'il paraisse à son mieux. Cependant, tout cela se faisait sans sa collaboration ni son aide. Il ne semblait pas du tout intéressé par son nouveau cercle familial. En fait, il se cachait dans son monde, en toute sécurité, en attendant de voir ce qui allait se passer. Sa phase contemplative paraissait sans fin et, dans son entourage, on se retenait pour ne pas désespérer. Pourtant, il y avait bien de petits moments de bonheur, par exemple quand son père d'accueil, Émile, le berçait. L'enfant s'abandonnait alors pendant quelques minutes. Ces moments précieux donnaient de l'espoir à toute la famille. Les choses allaient sûrement s'améliorer.

Un soir, plusieurs mois après l'arrivée de Samuel dans cette «vraie famille», Émile, le père d'accueil, un éternel jovialiste au grand cœur, rentra du travail et essaya, pour la énième fois, d'attirer l'attention de Samuel et de l'impressionner avec son rituel de farces et de grimaces. Ce jour-là, contrairement à l'habitude, l'enfant chéri amorça un sourire, pendant une fraction de seconde. Émile devint tout excité. Il affirma même qu'en plus, ce sourire était accompagné d'un discret et bref coup d'oeil. Les regards de l'enfant et de l'adulte s'étaient enfin croisés.

Effectivement, Samuel commençait à réagir à son entourage. Il entamait ainsi un long processus d'apprivoisement et de victoires. Bien sûr, il y eut des reculs, des périodes de peurs et de panique, et des angoisses imprévisibles où tout semblait basculer. Cependant, l'entourage de Samuel était si aimant, les gens étaient si déterminés dans cette maison d'accueil qu'on ne s'inquiétait pas outre mesure. On continuait d'aimer l'enfant et de chercher son bonheur, en y mettant tout ce qu'il fallait d'affection, de contorsions et de sourires.

Un jour, Samuel accepta de boire au verre. Un autre jour, il croqua avidement dans une banane. Il commençait à exprimer ses préférences pour tel jouet, tel aliment, tel vêtement. Il riait peu, parlait peu, mais il manifestait tout de même sa présence. Cependant, on aurait dit qu'il se retenait constamment. Qui sait, peut-être se disait-il qu'il ne fallait pas trop faire d'éclats de peur d'être puni, qu'il ne fallait pas trop se faire remarquer de peur d'être battu ou enfermé dans un placard, comme c'était arrivé si souvent dans le passé.

Bientôt, il se décida à faire quelques pas, puis à se tenir debout et, enfin, à se déplacer pour prendre des objets, sans plus attendre qu'on le fasse à sa place. Il commençait à devenir autonome. Cela rassurait son entourage, car il évoluait et semblait même rattraper ses retards. Pourtant, les nuits restaient difficiles et ses rêves se remplissaient de cauchemars et de cris déchirants. Il hurlait et suait, et il tombait souvent en bas de son lit où, après avoir lutté pour chasser les intrus invisibles, il finissait par se rendormir. Les victoires obtenues de jour s'évanouissaient la nuit. Ses rêves étaient hantés par la terreur.

Pendant la journée, dans certaines circonstances, il cédait à la panique. Il craignait toute forme de changement, fuyait les étrangers et tout ce qui envahissait son espace. Ainsi, quand des enfants l'invitaient à jouer avec eux, il refusait systématiquement. Il était difficile de le sortir de la maison, de l'emmener au restaurant, au parc ou chez le médecin. Il se mettait parfois dans un tel état d'excitation que la situation devenait intenable.

Il craignait autant les hommes que les femmes. Quand un adulte tentait amicalement de s'approcher de lui ou d'attirer son attention, il semblait percevoir ce geste comme une invasion insupportable de sa personne.

À notre première rencontre, Samuel avait l'air fragile. Bien sûr, je ne pus m'en approcher, car il était craintif et méfiant, envers moi comme envers tous les étrangers. Pourtant, on le disait maintenant volubile et affectueux à la maison. Son petit frère était plus sociable, il acceptait volontiers de jouer avec moi et tentait d'explorer les jouets à sa disposition. Pendant ce temps, Samuel restait à l'écart et observait la scène. Même avec un médecin, il n'allait pas embarquer si facilement. Il en avait déjà vu d'autres, n'est-ce pas?

À la deuxième visite, il ne parla pas plus, mais il accepta de me lancer une balle et de l'attraper ensuite. Il gardait toujours cette mine méfiante et un peu morose, il ne voulait surtout pas perdre ses acquis si chèrement gagnés. Ce fut finalement à la troisième rencontre que je pus le prendre dans mes bras et m'en faire un allié.

Plus tard, il me raconta qu'il avait des peurs, en particulier pendant la nuit, que des monstres venaient l'enlever ou tentaient de lui couper la tête ou les jambes. Il essayait de s'enfuir, mais ne le pouvait pas. Alors, les monstres le rattrapaient mais heureusement l'enfant se réveillait juste avant qu'ils ne l'atteignent. Il ne savait pas encore qu'au cours de son enfance, on l'avait souvent enlevé en pleine nuit pour le déplacer en catastrophe ou pour fuir de grands malheurs avec sa mère. Il ne faisait pas le lien entre ses cauchemars nocturnes et les multiples changements de famille d'accueil qu'il avait subis, avec leur lot de conséquences sur son développement, avant d'aboutir enfin dans la famille X.

Il m'avoua son manque d'intérêt pour la nourriture et le fait que chaque fois qu'il essayait de bien manger, il pensait vomir et devait s'abstenir, ce qui inquiétait l'entourage en ce qui a trait à sa croissance. Il ignorait qu'en bas âge, il avait eu le même problème, qu'il avait vomi pendant toute sa première année de vie sans que les médecins trouvent la cause de ces maux qui l'avaient également empêché de grossir. Maintenant, nous savons qu'il vomissait sa peine et sa douleur parce qu'il avait été abandonné à lui-même, seul, pendant des jours et des jours. Nous savons qu'il restait ainsi dans ses excréments, sans nourriture et sans lien avec personne, pendant que sa mère partait à l'aventure.

Entre lui et moi, ce fut le commencement d'un long processus d'apprivoisement. C'est pourquoi il vint me voir lorsqu'il sentit le drame venir. À partir de ce moment, et malgré le fait que je ne le rencontrais pas très souvent, nous sommes devenus très proches. Nous avions toujours plaisir à nous retrouver. Je fus témoin de son recouvrement et je le vis se transformer. J'eus le privilège d'assister au développement graduel d'un lien intense entre lui et sa nouvelle famille. Une des enfants du couple, une fillette un peu plus âgée, en fit son petit frère préféré et ils devinrent inséparables. Je sentis la reconstruction possible, malgré un départ aussi mauvais, sûrement grâce à cette force intrinsèque déjà évoquée. C'est cette force qui avait contribué à garder allumée sa flamme et celle-ci pouvait se rallumer si l'occasion se présentait. Or, l'occasion était là.

Le couple ne ménagea aucun effort pour soutenir Samuel. Les membres de la famille lui offraient tout ce qu'ils pouvaient. Le père prenait même congé pour sortir l'enfant et lui faire découvrir des choses. Ils se sentaient bien ensemble.

Un jour, le couple reçut un avis de l'intervenante du Centre jeunesse leur signifiant de ne pas trop dépenser pour acheter des jeux et des vêtements. On trouvait qu'ils géraient mal leurs fonds et qu'ils gaspillaient. Ils furent un peu choqués de la chose, car ils souhaitaient que l'enfant ne manque de rien, qu'il soit le mieux habillé possible et qu'il puisse avoir accès à plein de choses nouvelles. Ils créaient des conditions idéales, mais cela était mal interprété. En haut lieu, on trouvait qu'ils exagéraient. Peut-être jugeait-on que l'enfant n'en méritait pas tant… Je conseillai aux membres de cette famille d'accueil de se fier à leur instinct et se s'assurer que Samuel avait tout l'amour voulu. Je leur affirmai que, du reste, c'était proprement de leurs affaires.

Cependant, un drame se produisit peu de temps après. Les parents de cette famille d'accueil faisaient partie d'une organisation de bienfaisance et ils étaient tous deux membres du conseil de direction de l'organisme. Or, on découvrit bientôt dans cette organisation une fraude financière qui ne pouvait être attribuable qu'à nos deux protagonistes ou à l'un des deux. Des chèques avaient été frauduleusement encaissés. Et il manquait quelque quarante mille dollars dans le compte… Cet organisme était lié au Centre jeunesse dont les dirigeants furent les premiers à être mis au courant de la situation. On se retrouvait dans une drôle d'affaire ; une famille d'accueil reconnue comme une des meilleures et ayant la garde de deux enfants « à vie » était soupçonnée d'avoir pratiqué des activités criminelles. On rencontra le couple. Le père, complètement effondré, avoua sa faute, qu'il mit sur le compte de problèmes de jeux. Non seulement avoua-t-il, mais il s'engagea sur-le-champ à rembourser cette somme jusqu'au dernier sou. Il signa une reconnaissance de dette, qu'il continue d'honorer mensuellement, aujourd'hui encore. Cependant, cela compliqua sérieusement la vie des enfants. La suite est effroyable.

Plus d'un an après la découverte du méfait, aucune accusation n'a été portée contre ces gens. Pourtant, on a décidé – en haut lieu – de cesser de les considérer comme famille d'accueil. Cela équivaut à leur retirer le droit de garder des enfants de la DPJ. Alors, sans plus de formalité, on se faisait justice. Et pour punir les parents fautifs, on se servait des enfants ! Subitement, et de façon complètement aberrante, on coupa les liens unissant ces enfants à une famille qui leur avait ouvert ses portes. On les a extrait de leur milieu et de leur famille recouvrée. La scène fut dramatique.

C'était un mercredi, en fin de journée, et je reçus un appel du père, en pleurs, qui voulait m'emmener Samuel de toute urgence. Il ne me dit qu'une chose, «ça va mal». Il affirmait aussi que l'enfant tenait absolument à me voir, que c'était une question vitale. Les parents vinrent avec le petit. Ils étaient tous effondrés et tellement nerveux qu'ils n'arrivaient pas à m'expliquer clairement ce qui se passait. Je finis par comprendre qu'ils devaient prendre leur dernier souper en famille le soir même, car on les avait avisés de préparer les bagages des enfants. La DPJ venait les chercher le lendemain, sans possibilité de retour. Samuel était assis dans un coin de la clinique et se cachait le visage entre les mains. Soudain, il me dit qu'il voulait me voir seul à seul.

Je fis donc sortir les parents et l'enfant me déclara, avec sa petite voix étouffée: «Docteur Julien, fais quelque chose, les voleurs d'enfants vont venir demain matin. J'ai peur, je ne veux pas partir de chez mes parents. Je n'ai rien fait, s'il vous plaît, ne les laisse pas me prendre. Fais quelque chose!» Je regardais ses grands yeux suppliants et n'osais pas lui avouer mon impuissance devant la bêtise humaine. J'essayais de lui expliquer qu'un docteur, c'est moins puissant qu'un juge ou qu'un policier. Je l'assurais qu'il n'était coupable de rien et que j'allais tout faire pour l'aider et le protéger. Mais je devais manquer de conviction, car il continuait de me répéter: «Fais quelque chose, empêche-les de me prendre. J'ai peur.» Je n'en croyais ni mes yeux ni mes oreilles. En cette fin de journée, je me suis vraiment senti impuissant et sans ressources.

Allaient-ils risquer de provoquer la chute de cet enfant encore si fragile? Allaient-ils lui faire perdre tous les acquis des dernières années et couper des liens qui avaient été si difficiles à établir? Mais pourquoi? Par rectitude politique? Pour se venger? Ou simplement par bêtise ou ignorance? Est-ce que le fait d'être fraudeur ou joueur fait de vous automatiquement un mauvais parent? Je ne peux m'empêcher de penser à ces dirigeants des grandes compagnies qui fraudent pour des centaines de millions de dollars... Qu'arrive-t-il à leurs enfants? Dans la saga du scandale d'Enron, aux États-Unis, a-t-on retiré à ces criminels la garde de leurs petits? Est-ce une conduite éthique, pour un organisme chargé de veiller sur la jeunesse, de mettre en péril l'équilibre d'un enfant dont le développement et la sécurité ne sont en rien compromis?

Après avoir discuté avec les parents, nous avons opté pour la voie médiatique. Sans doute la télévision pourrait-elle alerter l'opinion publique! Et, qui sait, peut-être serions-nous capables de faire stopper les mesures annoncées? Le soir même, des caméramans vinrent prendre des images du dernier repas. On constata la détresse de cette famille, on reconnut l'angoisse chez tous les enfants présents, et en particulier chez Samuel, qui redemandait de l'aide à qui voulait l'entendre. Cette scène était d'une tristesse inouïe. La nuit fut remplie de cauchemars pour tout le monde.

Depuis longtemps, il était prévu pour le lendemain que Samuel rencontre l'art-thérapeute de notre Centre qui, au fil des mois, avait lui aussi développé un lien intime avec l'enfant perturbé. En entourant celui-ci de quelques personnes-clés, pédiatre, art-thérapeute et autres membres de la famille, ces parents, aujourd'hui convaincus de culpabilité, lui avaient offert un milieu sûr et aimant. C'est d'ailleurs ce qui expliquait son évolution phénoménale et une grande partie de sa reconstruction. Samuel avait bénéficié des conditions idéales de thérapie pour une situation post-traumatique. La dernière chose à faire pour lui, c'était de rompre ces liens et de briser cet environnement.

Or, ce jour-là, en pleine séance d'art-thérapie, dans notre Centre et dans nos locaux, qui étaient si familiers à l'enfant et qui représentaient pour lui la sécurité, deux sombres personnages se présentèrent pour l'emmener. Ce fut atroce. Samuel criait, pleurait, se cachait. Il suppliait Pierre, l'art-thérapeute, de ne pas les laisser l'emporter. Grâce à un mandat officiel, ces deux étrangers venaient voler cet enfant en plein jour, pendant sa thérapie, dans le milieu où il se croyait en sûreté. Sans doute avaient-ils prémédité leur coup pour ne pas affronter les parents, subitement déchus de leurs droits. Un cauchemar et une honte, voilà ce que furent ces moments atroces…

Au même moment, ce scénario se déroulait de façon presque identique dans une garderie où on allait chercher son frère. Deux étrangers se présentèrent au local du service de garde et cette fois ils durent courir après l'enfant qui s'enfuyait dans les corridors. Lui non plus ne voulait pas se faire enlever par des inconnus, il refusait de s'en aller sans être accompagné de ses parents. Lui aussi criait et suppliait son entourage de ne pas laisser les «voleurs d'enfants» s'emparer de lui…

Pendant ce temps, les parents commençaient à s'imaginer que peut-être, en fin de compte, on avait changé d'idée et qu'on n'agirait pas de la sorte. Ils avaient encouragé les enfants à ne pas modifier leurs habitudes. C'est ainsi qu'ils avaient convaincu Samuel d'aller faire sa visite au psychologue art-thérapeute et le plus petit de se rendre à la garderie afin que la situation soit la plus normale possible et d'éviter les effusions de tristesse en famille. En fin de journée, ils apprirent que les enfants ne rentreraient pas à la maison ce soir-là, ni les autres soirs non plus. En fait, ils ne devaient plus jamais rentrer chez eux. Les parents demandèrent qu'on leur fasse parvenir leurs valises et une photo de famille, ou au moins leur toutou et quelques jouets préférés pour qu'ils ne soient pas trop perdus. On leur refusa tout.

Subitement, on coupait les enfants de leur passé, sans raison. La rupture fut totale. Ils durent recommencer une nouvelle vie, dans un endroit gardé encore secret jusqu'à ce jour. Les parents furent complètement mis de côté. On leur retira tous leurs droits envers ces enfants avec qui ils avaient vécu plusieurs années de bonheur. Le thérapeute et moi-même avons également perdu tout contact. D'un seul coup, on a effacé le passé de ces enfants, changé leur identité et rompu les précieux liens qu'ils avaient réussi à tisser, eux qui n'avaient pourtant rien à se reprocher.

Aujourd'hui, le deuil dure encore. Après plus d'un an, nous pensons tous très souvent à Samuel et à son petit frère. Chaque fois, notre cœur se déchire. Quand je vois les parents avec leur nouvel enfant bien à eux, nous commençons par admirer ce bébé, si joyeux et si bien entouré, mais dès que nos regards se croisent, les parents pleurent. Ils se demandent tous les jours où se trouvent les deux petits, et ce qui leur arrive. « Sont-ils bien traités ? Sont-ils heureux ? Ils doivent avoir changé… »

Il y a très peu de temps, j'ai appris, par des connaissances, que les deux frères avaient été séparés. Il paraît qu'ils n'allaient pas bien ensemble… Ils ont donc deux familles d'accueil différentes et je crois qu'ils sont encore en transition. Dans ces grands systèmes, quand on coupe les liens, on ne le fait pas à moitié, n'est-ce pas ?

Au fond, je pense malheureusement que ces enfants ne pourront plus jamais tisser de liens, qu'ils n'arriveront plus jamais à faire confiance à quiconque. Être séparé des siens une fois, ça peut aller. Mais deux fois ? Et dans des circonstances aussi dramatiques ? Non, rien ne va plus.

CLAUDE ET CLAUDETTE OU LE MUTISME DE LA SOUFFRANCE

▼

Claude et Claudette sont des jumeaux très intimement liés. L'un ne va pas sans l'autre. Entre eux, les rôles sont clairement définis. Claudette, la plus forte, protège Claude, qui se sent en sécurité. Elle écarte les menaces, montre le chemin et s'assure que son frère ne manque de rien. Lorsqu'elle se retrouve sans lui, à l'école par exemple, elle joue au caïd et adopte un comportement dominateur envers les autres enfants, ce qu'elle ne fait jamais en présence de Claude, se contentant alors d'être ferme.

Je voyais régulièrement ces deux enfants en clinique, avec leur mère, et ils me paraissaient normaux. Ils n'avaient aucun problème médical, sauf qu'ils ne parlaient pas. Leur langage ne se développait pas adéquatement. Ils pouvaient très bien communiquer entre eux par un code qu'ils avaient mis au point, mais lorsqu'ils tentaient d'échanger des propos avec d'autres personnes, y compris leur mère, les mots ne sortaient pas, ou encore ils se déformaient en sortant. Dans la famille, il y avait aussi deux frères plus âgés, qui ne semblaient pas avoir de problèmes, mais je ne les voyais pas souvent, sauf un, Claudio, que je croisai quelquefois pour des problèmes de santé.

Au Centre, nous avions entrepris de les occuper et de les stimuler, à notre façon, pour les aider à progresser, mais aussi parce que la mère manquait de disponibilités. C'est du moins ce qu'elle nous laissait entendre. Elle ne réussissait jamais à trouver le temps de s'engager davantage auprès d'eux. Elle travaillait et se disait fatiguée et dépassée.

Rapidement, nous apprîmes à mieux connaître ces enfants, qui s'attachèrent aux intervenants du Centre. Nous en fîmes autant, car ils étaient adorables et tous deux étaient animés d'un éclat particulier.

Claude respirait la bonté, son visage était beau, le garçon était charmant, il s'émerveillait facilement et démontrait de l'intérêt pour plusieurs choses. Il voulait tout connaître. Et il réussissait facilement à trouver un adulte pour s'occuper de lui. On l'avait mis dans un groupe particulier pour améliorer son langage et l'enseignante s'était immédiatement attachée à lui. Elle affirmait qu'il faisait des progrès constants.

Claudette était plus discrète, parfois même sournoise. Son visage peu expressif et sa timidité laissaient deviner des blessures dont elle ne voulait jamais parler. Quand on lui posait des questions, elle répondait que tout allait bien et passait vite à autre chose. Souvent, elle évitait d'être l'objet de l'attention en déviant la conversation sur Claude. Elle gardait jalousement ses secrets.

Au Centre, nous étions intrigués au plus haut point par ces deux enfants, l'un avec sa manie de nous sauter dans les bras à la première occasion et de nous déclarer son amour, l'autre avec sa réserve et son mystère. La mère, elle, se contentait de venir les reconduire, mais elle n'avait jamais le temps de rester pour parler. Lorsque je lui disais à quel point nous trouvions ses enfants merveilleux, elle semblait insensible. Elle ne réagissait pas non plus quand nous lui rapportions leurs progrès. Depuis plusieurs mois, ils fréquentaient nos services et s'amélioraient sans cesse, aussi bien dans nos activités qu'à l'école. Les membres du personnel scolaire, avec qui nous échangeons constamment des renseignements, s'étonnaient aussi de les voir laissés à eux-mêmes et abandonnés à nos soins conjoints. La mère ne s'intéressait pas plus au milieu scolaire qu'à notre Centre.

Le mystère restait entier, mais les enfants semblaient ne pas trop s'en faire. Ils refusaient systématiquement de répondre aux questions concernant leur vie familiale, se montrant évasifs ou confus dès que nous les interrogions. Ils n'avaient pas l'air de connaître leur père, ils ne savaient pas la nature du travail de leur mère et, d'après eux, ils ne manquaient de rien. Ils étaient toujours propres et bien nourris. Au cours de cette période, j'eus le sentiment que leurs difficultés langagières les servaient.

Un matin, en arrivant à la clinique, quelle ne fut pas ma surprise de les voir tous deux m'attendre sur le trottoir, chacun avec un sac vert, rempli à ras bord ! Je les questionnai et finis par comprendre que leur mère venait de les abandonner pour de bon. Six ans plus tard, nous ne l'avons jamais revue ! L'histoire de ces enfants est épouvantable et elle pourrait bien expliquer leur mutisme, et bien d'autres choses encore...

Je n'arrive toujours pas à comprendre comment ils ont pu cacher tant de gros secrets et pendant tant de temps, des mois et même des années, à des gens qui avaient toute leur confiance et auxquels ils étaient attachés plus encore qu'à leurs parents.

Peut-être est-ce la peur de révéler des choses abominables, de ne pas être crus, de perdre l'affection de leur entourage ? Peut-être ont-ils été menacés et ont-ils préféré se taire, d'un commun accord, et pour longtemps ? Peut-être encore s'agit-il de fidélité ? En effet, les enfants sont d'une loyauté exemplaire, et même lorsqu'ils ont été trompés, ils restent fidèles à vie. Ils n'arrivent jamais à croire qu'on les a abandonnés et ils ne jugent pas, surtout pas leurs parents.

Peut-être encore s'agit-il de honte, ce sentiment qui vous rend coupable même quand vous êtes victime ? Beaucoup d'enfants agressés connaissent ce sentiment, au point où c'en est presque un dénominateur commun. Ces enfants blessés portent en eux l'humiliation, une blessure profonde, la violation de leur intégrité. Ils ne comprennent pas ce qui leur arrive et cela les fait douter d'eux-mêmes ainsi que de la nature humaine. Ils font confiance à des adultes, mais ceux-ci les trahissent et les menacent, et ils s'en rendent coupables.

Que faire avec deux enfants de 8 ans que vous aimez et qui se retrouvent devant votre porte, seuls et sous le choc ? Ils n'ont plus de parents, plus de maison, plus d'attaches autres que vous ! Pourtant, ils paraissent calmes. Ils gardent leur apparence habituelle, comme chaque jour quand ils fréquentent nos services, comme si rien de grave ne s'était passé. «Veux-tu nous garder ? », me dit Claudette, tout de suite approuvée d'un mouvement de tête par son frère Claude qui me fait son plus beau sourire.

Je ne sais pas encore à quel point ils se sentent libérés. Je n'ai aucune idée de la vie qu'ils ont menée jusqu'ici. Entre eux, ils ont fait un pacte du silence et rien n'a jamais transpiré. Quel phénomène ! Je suis toujours surpris, après tant d'années à essayer de comprendre les enfants, de constater à quel point ils peuvent se taire et à quel point ils sont capables de donner aux adultes, même proches, une image de façade tout à fait crédible. On dirait que plus ils souffrent, moins ils s'expriment.

Que cachaient Claude et Claudette ? Qui voulaient-ils protéger ? Comment mesuraient-ils le danger qu'il y avait à parler ?

De plus en plus, je suis convaincu que les enfants agissent ainsi par bonté et par instinct de survie, tout comme la plupart des victimes de bourreaux, même les plus atroces. Ils le font d'instinct, je pense, et sans doute parce qu'ils croient fondamentalement à la nature humaine. Ou peut-être sont-ils conseillés par quelques bons esprits avec lesquels ils sont en contact…

Quand les membres de notre équipe apprirent la nouvelle, ce fut un branle-bas de combat. Tous y allaient de recommandations créatives, chacun voulant collaborer. On pourrait les garder chacun son tour ? On les prendrait tous les jours au Centre tandis qu'ils seraient hébergés dans différentes maisons le soir ? Devions-nous appeler la Direction de la protection de la jeunesse ? Quel danger faisions-nous courir aux enfants si nous faisions cela ? Leur sécurité serait-elle compromise ? Comme nous ne savions pas ce qui se passait réellement, nous avons alors décidé de nous occuper nous-mêmes de la situation, en commençant par l'éclaircir, puis de respecter les demandes des enfants.

D'abord, il n'était pas question de les traumatiser davantage en les confiant à des étrangers qui, en théorie, n'offraient aucune contribution affective, ce dont les enfants avaient sûrement le plus urgent besoin. Dans les circonstances, il était essentiel de leur donner au moins cette sécurité pour assurer leur développement. Or, ce sentiment de sécurité, ce n'est qu'avec nous qu'ils pouvaient le trouver : à notre connaissance ces enfants n'avaient pas de famille, hormis leur mère, alors qu'ils étaient attachés à nous et à leur école. Pour la sécurité physique, il n'y avait pas de problèmes puisque notre organisme s'occupe précisément des besoins fondamentaux des enfants. De plus, il était évident que Claude et Claudette voulaient être avec nous, pour le moment du moins. La décision était donc facile à prendre. Ils resteraient avec nous et, pour l'instant, nous n'avions pas l'obligation de les signaler à la DPJ. On y verrait plus tard.

Je décidai de m'asseoir avec les enfants pour en apprendre plus sur ce qui se passait à la maison, mais je n'appris rien du tout. « Maman est partie », me répétaient-ils, avec une tristesse évidente, mais sans que j'en sache davantage. Après maints efforts, je découvris qu'ils avaient une grand-mère paternelle qui habitait « loin » et aussi un père qu'ils ne voyaient plus depuis des mois. J'entrepris des recherches. En quelques jours, et grâce à la collaboration de la police communautaire, notre alliée, je retrouvai cette grand-mère.

Elle me sembla tout à fait bien. Elle s'inquiétait de ses petits-enfants dont elle n'avait pas eu de nouvelles depuis des semaines. «Cependant, me confia-t-elle au téléphone, je ne m'en faisais pas outre mesure parce que la mère a l'habitude de couper les ponts, sans raison apparente.» Parfois, il s'agissait de déménagements précipités. D'autres fois, il n'y avait aucune raison à ces longs silences. «Vous savez, me dit-elle, cette femme a beaucoup de choses à se reprocher. Elle a rendu le père des enfants, mon fils, complètement désespéré et il est maintenant très malade. Quant à moi, j'ai une santé précaire et je dois m'occuper seule de mon mari qui souffre d'un Alzheimer sévère.» Je lui appris les événements récents et sa première réaction fut de s'exclamer : «Je savais que ça arriverait un jour ! C'est peut-être même une bonne chose...» Nous nous entendîmes pour nous rencontrer dans les plus brefs délais, mais il était assez difficile pour elle d'effectuer un voyage à Montréal, vu l'état de santé de son mari et la distance à parcourir.

Elle vint tout de même en compagnie du grand-père. Lui était charmant, mais complètement perdu. Il essayait parfois d'entrer dans la conversation, mais c'était toujours hors contexte et un peu étrange. Sa femme tentait patiemment de répondre à ses questions et de le mettre en piste. Elle lui expliqua, par exemple, qu'il n'était pas chez le notaire, mais plutôt chez le médecin. Alors, il lui demandait pourquoi il était chez le médecin puisqu'il n'était pas malade. Puis subitement, il lui redemandait pourquoi elle l'avait amené chez le comptable... Pour l'occuper, on lui présenta un jeune enfant et, satisfait, il se mit à lui raconter des histoires sans fin que j'aurais bien aimé entendre.

Cette grand-mère de 65 ans, en forme, mais de toute évidence fatiguée et dépassée par les événements, me raconta alors sa vie. C'était une bonne personne, courageuse et peu choyée par le destin. Elle avait rencontré son conjoint sur le tard, dit-elle, et elle en était immédiatement tombée amoureuse. C'était l'homme de sa vie, il était beau, travaillant et toujours aux petits soins pour elle. Ils avaient vécu en couple harmonieux, sans enfants pendant quelques années, puis, voyant la quarantaine approcher, ils avaient décidé d'avoir des enfants. Ils eurent alors un garçon, qu'ils aimèrent à la folie et qui fut en quelque sorte le prolongement de leur amour. Ils lui donnèrent tout ce qu'ils pouvaient et ils étaient comblés.

Un matin de septembre, la mère trouva son bébé tout grisâtre dans son berceau. Il n'avait que 8 mois et quelques jours. Il respirait difficilement et quand elle le découvrit, il était couvert de plaques mauves, des ecchymoses. Il était irritable et lançait péniblement des petits cris aigus dès qu'elle tentait de le bouger. Elle s'affola. Ces derniers jours, l'enfant avait fait une grippe, mais il s'alimentait bien et n'avait même pas fait de fièvre. On fit venir l'ambulance qui conduisit le petit à l'hôpital, où il reçut un diagnostic de méningite aiguë à méningocoques. Il mourut le soir même. Ce fut le début d'une série noire pour ce couple sans problèmes et la fin d'une relation heureuse.

La grand-mère sombra dans un chagrin sans bornes. Quoi que fasse son mari pour la soutenir, rien n'y faisait. Elle prit des médicaments et du repos, mais elle ne s'en remettait toujours pas. Un bon jour, en rentrant du travail, il la trouva changée. Elle souriait enfin. Il hésita et lui demanda des explications. Elle affirma alors avoir fait un rêve. Elle avait revu son enfant bien-aimé, il avait grandi et il parlait maintenant. Il lui avait chuchoté qu'il ne l'oubliait pas, qu'il l'aimait et qu'il souhaitait revivre dans sa famille comme auparavant. Pour le ramener, elle avait pris la décision de redevenir enceinte.

Quelques mois plus tard, ils eurent un fils qu'ils nommèrent du nom de l'autre, la mère étant convaincue qu'il s'agissait de son premier qui revenait ainsi à la vie. D'ailleurs, elle me dit que c'était une copie conforme de l'aîné. Pas de doute, c'était lui qui se réincarnait! Tout se déroula bien pendant quelque temps, l'enfant répondant totalement aux attentes de sa mère. Il grandissait de façon harmonieuse et se comportait comme on s'y attendait. Le bonheur se pointait de nouveau à l'horizon. Quant au conjoint, il restait un peu confus devant cette drôle de situation, mais les choses semblant aller mieux, il s'en accommodait et n'aurait jamais voulu revivre les mois difficiles qui avaient suivi le décès du premier enfant.

Pourtant, il trouvait exagérée l'attention constante que sa femme portait à ce nouveau fils, copie conforme de l'autre. Il n'aimait pas la façon dont elle le protégeait contre tous ceux qui tentaient de s'en approcher. Elle avait même coupé les liens avec sa famille, par peur de le partager. Elle insistait pour dormir avec l'enfant tandis que lui, l'homme, devait prendre un petit lit adjacent pour ne pas les déranger. Il se sentait exclu. Tout l'amour qu'elle lui témoignait autrefois se trouvait maintenant déplacé vers le petit. Il ne lui restait à peu près rien de ce bonheur qu'ils avaient partagé. Il s'inquiétait aussi du risque que courait leur enfant devant tant d'attention et du fait qu'elle ne lui laissait aucune autonomie.

Un après-midi, à l'époque où le petit fêtait ses 2 ans, le père se sentit tout étourdi, comme s'il ne pouvait plus tenir debout. Il pensa s'évanouir et fut pris de nausées qui l'épuisèrent. Il s'endormit et, de peur de déranger, n'osa pas parler de son état. Quelques jours plus tard, il ressentit les mêmes symptômes, mais cette fois-ci, il resta léthargique et perdit complètement la mémoire. Il ne se souvenait même plus de son nom, ni de celui de sa femme, ni des détails courants de sa vie. Il demanda qui était cet enfant et ne crut pas son épouse quand elle lui rappela qu'il s'agissait de leur fils. Après quelques semaines, la mémoire revint peu à peu, mais il ne devait jamais la retrouver complètement. Son état se détériora lentement, au cours des années, et lui-même devint un fardeau pour sa femme.

Pour le moment, elle avait le champ libre et se donnait entièrement à son fils qui tardait à parler et qui souffrait de plusieurs maux. Il était anémique à force de trop boire de lait et de ne pas absorber assez d'aliments solides. Il faisait de l'asthme et dut être hospitalisé plusieurs fois, contraint à prendre des médicaments presque continuellement. C'était un enfant faible et fragile, choyé, mais incompétent et perdu sans sa mère. Puis, à l'adolescence, subitement, il se révolta et s'enfuit de la maison. Il n'y reviendrait pas malgré les exhortations maternelles, et il s'isola complètement dans une chambre louée qu'il parvenait à peine à payer. Il se mit à boire et à consommer des drogues de plus en plus fortes. Il commença à voler pour subvenir à ses coûteux besoins, il fit un peu de prison et quelques tentatives de suicide.

Il coupa presque entièrement les contacts avec sa mère qui vécut par la suite des années de misère. Elle recommença à s'occuper à temps plein de son mari, seule bouée qui lui restait en ce monde, et elle finit par ne plus trop penser à ce fils ingrat jusqu'au jour du printemps 1992 où il l'appela, désespéré et sans le sou, pour lui annoncer qu'il venait d'avoir deux enfants, des jumeaux non identiques, un garçon et une fille. «T'es maintenant grand-mère», lui déclara-t-il.

Sur le coup, elle s'inquiéta, elle ne savait pas quoi lui répondre. Elle l'avait presque oublié après lui avoir tant donné et après avoir vécu un abandon si brutal. Et voilà qu'il réapparaissait subitement avec deux enfants. «Avec qui, se dit-elle, a-t-il pu faire ces petits?» Elle découvrit bien assez tôt que la mère ne valait guère plus que son fils. C'est cette femme qui l'entraînait dans cette lourde vie de consommation, elle qui l'avait initié aux délits criminels, elle encore qui s'était laissée faire des bébés lors d'une cuite prolongée sachant à peine ce qu'ils faisaient. Puis, une fois à jeun, quand elle s'aperçut qu'elle était enceinte, c'est elle aussi qui avait sciemment décidé de garder l'enfant, ayant à l'esprit les projets les plus sordides. Du moins, c'est ce que la grand-mère affirmait avec conviction. Quant à moi, je ne savais pas encore de quoi il s'agissait. J'allais bientôt l'apprendre.

La grand-mère tenta à plusieurs reprises d'entrer en contact avec son fils et ses deux jumeaux, mais elle dut battre en retraite plusieurs fois, à cause de la mère des enfants, cette femme étant devenue une ardente compétitrice. La dame ne portait pas sa bru dans son cœur. En parlant d'elle, encore aujourd'hui, sa voix avait des trémolos. Elle accusait de tous les maux cette femme dont son fils avait été victime. À cette époque, elle ne pouvait jamais s'approcher des enfants. Elle les avait vus à deux ou trois reprises, mais le contact était toujours bref et supervisé par la mère. Elle se rendait compte que les enfants manquaient de tout et qu'ils étaient plutôt malheureux, mais elle n'y pouvait rien. Elle appela quelquefois la DPJ, mais il semble qu'on n'avait pas assez d'éléments pour intervenir. Environ deux ans après, la mère laissa le père, s'enfuyant avec Claude et Claudette. On ne pouvait plus la retrouver tant elle déménageait souvent. On avait appris qu'elle fréquentait plusieurs individus louches. La grand-mère, une fois de plus, se désengagea et reprit du service exclusif auprès de son mari.

La première fois que j'ai moi-même rencontré les enfants, ils étaient avec leur mère. Ils arrivaient en maternelle, ils avaient donc autour de 5 ans. Ils venaient d'emménager dans le quartier et, dès les premiers jours d'école, on me les avait référés à cause de leurs troubles du langage. Ce fut l'amorce d'une longue aventure et du lien étroit que, depuis, j'ai tissé avec eux. Au début, il fallait préciser les diagnostics, orienter les enfants

vers des classes adaptées, mettre en place des mesures de soutien de différentes natures. Puis, l'accompagnement s'intensifia
et il se créa entre nous un attachement de plus en plus profond.
Claude et Claudette se sentaient à l'aise dans nos services et
avec nous. Tout se passa ainsi pendant quelques années, jusqu'au
jour où la mère les abandonna. Ils avaient alors 8 ans.

Après cet événement, lorsque je pensai à cette mère, je me
rendis compte que je ne la connaissais pas du tout. Elle venait
de temps en temps et elle me semblait compétente, instruite,
agréable, mais jamais disponible. Elle entrait en coup de vent
et affirmait être occupée par son travail. Je ne sus jamais quel
était ce travail. Après coup, je pense qu'elle était très habile
pour maquiller les choses, pour faire croire à son intégrité et
pour attirer la sympathie de tous. Elle me remerciait abondamment de ce que je faisais pour ses enfants et elle me rappelait
candidement toute l'affection qu'ils me portaient. Je n'y voyais
que du feu, car son discours était très convaincant. La vérité
s'avéra pourtant toute autre.

Pour l'instant, il fallait s'occuper des enfants abandonnés et
ce fut la première préoccupation, la nôtre autant que celle de
la grand-mère. Que faire, maintenant qu'ils étaient laissés à
eux-mêmes? Nous décidâmes d'agir de concert et de collaborer. De notre côté, nous allions les accueillir tous les jours, du
matin au soir. Ils arriveraient tôt, déjeuneraient chez nous et
repartiraient ensuite pour l'école située tout près du Centre.
À la fin des classes, dans l'après-midi, ils reviendraient faire
leurs devoirs, participer aux activités avec les éducateurs et
prendre leur repas du soir.

Quant à la grand-mère, elle allait les héberger et les conduire
matin et soir en auto, à partir de chez elle, à une soixantaine de
kilomètres de Montréal. Elle s'en chargeait de bon cœur et ces
horaires lui permettaient d'éviter les bouchons de circulation.
Elle devait assurer leur hygiène, leurs soins personnels et,

surtout, créer avec eux un lien familial. Elle n'était plus perturbée comme auparavant, quand elle avait développé cette relation pathologique et étouffante avec son propre enfant. Elle
était guérie et elle pouvait enfin offrir aux jumeaux une éducation plus solide. Elle allait le faire de façon remarquable.

Bien sûr, elle avait sa vie à elle et son propre agenda. Intui-
tivement et sans avoir encore de preuves, elle savait ce qui s'é-
tait passé avec les enfants. Cependant, ce qui comptait pour elle
dans l'immédiat, c'était de recréer pour eux un milieu familial
sain qui leur permettrait de guérir leurs blessures et d'assurer
leur avenir. Il était clair aussi, même si cela n'était pas dit, que
la grand-mère voulait se soulager d'un fort sentiment de culpabilité envers ses propres enfants, d'abord pour le décès du
premier garçon puis, par la suite, pour l'échec du lien avec son
remplaçant. Elle voulait se racheter en s'engageant auprès
de ses petits-enfants et en reconstruisant sa famille. Pour la première fois, elle en avait l'occasion. Je l'assurai de mon entière
collaboration.

Cela dura quelques mois, mais comme nous n'avions toujours pas de nouvelles de la mère, il fallait penser à long terme
et légaliser cette situation devenue délicate. À qui ces enfants
appartenaient-ils ? Qu'arriverait-il advenant des problèmes
de santé chez la grand-mère ou même un décès ? Qui alors
s'occuperait des enfants ? La grand-maman montrait des signes
évidents de fatigue. Son mari allait de plus en plus mal et il
nécessitait des soins constants. Je commençai à m'inquiéter
sérieusement.

La grand-mère avait tenté un rapprochement avec son fils
en espérant qu'il finisse par assumer ses responsabilités. Les
enfants s'étaient donc mis à rendre visite à leur père qu'ils ne
connaissaient que très peu. On assista alors à diverses réactions,
plutôt négatives. Les enfants se disaient contents de le voir,
mais chaque fois, ils devenaient très angoissés et changeaient

leurs comportements. Claudette montrait plus d'agressivité et Claude, lui, était d'humeur plutôt sombre. Il se passait quelque chose que la grand-mère comprit bientôt et qui la mobilisa. Il ne s'agissait ni du désordre et de l'exiguïté du petit appartement où vivait le père, ni de son manque d'intérêt pour les enfants. Non, il s'agissait d'autre chose, qui refaisait surface depuis leur rencontre et qui était beaucoup plus horrible.

Depuis quelque temps, la grand-mère avait accepté de prendre avec elle Claudio, le frère des jumeaux, né d'un autre père. Lorsque la mère avait abandonné ses enfants, Claudio était allé vivre chez son propre père, mais cela n'avait vraiment pas fonctionné et il avait demandé à sa grand-mère de l'héberger. Il avait alors 14 ans. Ce fut par lui qu'elle découvrit la vérité, petit à petit, par bribes et grâce à la confiance qui s'était instaurée entre eux.

Dans l'intervalle, nous avions tous convenu d'aviser la Direction de la protection de la jeunesse de nos démarches, de façon à régulariser la situation des enfants et pour les protéger contre d'éventuelles complications légales. Au début, les intervenants de la DPJ comprirent bien les enjeux et décidèrent d'embarquer dans notre plan et d'assurer les arrières. On attribua à chaque enfant un intervenant qui donnait des services personnalisés. Heureusement, la situation restait la même avec la grand-mère, et les petits continuaient de lui rendre visite et de venir chez nous.

Pendant ce temps, petit à petit, la grand-mère finit par savoir ce qui s'était produit dans cette famille. D'abord, Claudio aborda avec elle certaines questions. Il parla de sexualité débridée, de jeux sexuels entre enfants, de caméras qui filmaient de mauvaises choses, d'hommes matures qui passaient et repassaient dans la maison de la mère. Il disait que celle-ci leur affirmait qu'il fallait faire ces choses, parce que ces personnes leur donneraient de l'argent pour manger. Il semble qu'elle leur répétait souvent qu'il fallait surtout n'en parler à personne, sinon ils seraient sévèrement punis et ils perdraient leur mère pour toujours. La grand-mère vérifia auprès de son propre fils pour savoir si de telles choses étaient possibles et si cela se passait aussi en sa présence, quand les enfants étaient encore avec leur mère. Le fils avoua alors sa complicité et admit même avoir « vendu ses enfants ». Il jura qu'il ne voulait pas, mais que sa femme le menaçait constamment de le dénoncer à la police, que les agents la croiraient, elle, tandis que lui se retrouverait certainement en prison. Il avait peur et il était trop faible pour protéger ses enfants.

Lorsque la mère se sépara de son conjoint pour aller vivre seule avec ses enfants, elle s'en donna à cœur joie. Les petits étaient obligés de faire des jeux sexuels entre eux, sous l'œil d'une caméra. Ils devaient également se laisser toucher par des individus déviants qui payaient grassement la mère pour ces libertés, et cela dura longtemps. Jamais ils ne parlèrent, pour protéger leur mère et sans doute aussi par crainte. Les enfants ne s'étaient jamais décidés à révéler ces méfaits, même dans de bonnes conditions, à nous qui avions établi avec eux un sentiment de confiance. Cela me confirmait que leur trouble de langage les servait bien. Du moins, me dis-je, nous leur avons offert une oasis où ils pouvaient se détendre, sans crainte d'être utilisés ou agressés. Mais j'aurais tant aimé en savoir plus pour les protéger mieux.

Avec l'aide de la DPJ, nous avions réussi à donner du répit à la grand-mère, car devant tant de folies, elle était traumatisée et s'épuisait. Une famille d'accueil de notre quartier accepta de les prendre au cours des années à venir, « jusqu'à 18 ans et au-delà même, s'ils le désirent », me dit la nouvelle maman. Ce fut une excellente occasion, puisque les enfants ne changeaient pas d'école et qu'ils pouvaient continuer de fréquenter nos services. La grand-mère les voyait encore souvent, mais sans devoir supporter le fardeau du transport et des tâches quoti-diennes. Ils pouvaient ainsi conserver leurs acquis, leurs liens et leur sécurité. Pour les années à venir et devant les problèmes qui risquaient de surgir, cela constituait une sorte de police d'assurance affective essentielle.

La famille d'accueil était de celles qu'on ne voit pas souvent. Les gens étaient aimants, exigeants et ouverts à tout ce qui pou-vait aider les enfants. Ceux-ci se détendirent rapidement en leur présence et se sentirent rassurés. Ils étaient « bien élevés », comme on dit. Ils devenaient de plus en plus avenants et har-monieux. Leurs visages changeaient, leurs traits s'adoucissaient, leurs caractères s'apaisaient, surtout celui de Claudette qui était un peu prompte et parfois même agressive, en particulier avec les garçons et encore plus quand il s'agissait de défendre son « petit frère ». Puis, ils se mirent à s'exprimer de plus en plus souvent et clairement, au point de nous étonner tous. Ils s'ac-cordaient maintenant le droit à la parole. Aujourd'hui, ces deux enfants vivent toujours dans cette famille et ils s'y trouvent en excellente condition.

Il se créa aussi une grande connivence entre la mère d'ac-cueil et la grand-mère. Par conséquent, le lien familial restait sauf. Toutes les deux fins de semaine, Claude et Claudette continuaient de fréquenter leur grand-maman. Dans cette situa-tion idéale, la grand-mère se trouvait dans de meilleures dis-positions et elle avait le champ libre pour éclaircir ce qu'il en était des événements traumatiques vécus par les enfants et pour reconstruire enfin sa propre famille (elle parlait de répa-ration et disait qu'il n'est jamais trop tard pour réparer). Elle avait d'ailleurs plusieurs projets en tête, dont elle me fit part par la suite.

En habitant avec le frère aîné, elle comprit bientôt que lui aussi avait connu des périodes extrêmement difficiles. Elle eu tôt fait d'obtenir des confidences, floues au départ, mais de plus en plus explicites avec le temps. C'était un adolescent quelque peu attardé, assez immature, fermé et peu sociable, avec des comportements parfois bizarres et douteux, surtout au plan sexuel. À quelques reprises, on l'avait surpris faisant du voyeurisme dans les toilettes de l'école. Il avait essayé de convaincre des jeunes de lui montrer leurs parties génitales. Il avait eu une petite blonde, mais avouait « ne pas être capable de bander avec elle ». Cela l'inquiétait. Il se retirait fréquemment dans sa chambre pour de longues séances de masturbation. Il était de plus en plus solitaire et semblait porter le monde sur ses épaules. Il finit par confier à sa grand-mère ce qu'on lui avait demandé de faire, dès son plus jeune âge, d'abord avec ses frères et sœurs, puis avec des étrangers, parfois seul avec eux et d'autres fois « en famille » ! L'histoire éclatait enfin au grand jour.

Quand les intervenants de la DPJ apprirent la nature des traumatismes subis par les enfants, ils se mirent à la recherche de la mère pour l'accuser. À ce jour, ils ne l'ont pas encore retrouvée. Bientôt, Claudette devint une adolescente et adopta certains comportements sexuels déplacés. Elle touchait brutalement le pénis des garçons ou elle essayait de faire l'amour à des plus jeunes. Les intervenants paniquèrent alors et se mirent à extrapoler des scénarios pires que la réalité. À leurs yeux, cette fillette était dangereuse, pour elle-même et pour les autres. Il fallait l'isoler et la protéger. Ils décidèrent de la transférer dans un centre d'accueil, sans même lui en parler.

Comme il arrive parfois, la victime risquait de redevenir encore plus victime, presque coupable. Elle allait peut-être tout perdre et pour de bon à cause de ces bien-pensants qui échafaudaient leurs hypothèses. J'en fus avisé par un téléphone de la grand-mère qui se trouvait dans un grand désarroi. Il était moins une. Pour éviter le pire, il fallait réagir vite. Même la famille d'accueil ignorait tout, alors que la DPJ s'apprêtait à procéder au déplacement de Claudette dès la semaine suivante, encore une fois «pour son bien»! J'insistai pour que la grand-mère fasse valoir ses droits et je lui suggérai de demander une rencontre d'urgence avec les intervenants. Je l'encourageai aussi à se faire accompagner par ses principaux alliés, la mère d'accueil et moi-même.

Cette réunion eut lieu le lundi suivant dans les bureaux de la DPJ. De leur côté, ils étaient sept intervenants, éducateurs, travailleurs sociaux, chefs, superviseurs et même un psychiatre! De notre côté, nous étions trois. La grand-mère fit un discours remarquable, un témoignage d'amour exceptionnel envers ses petits-enfants. Elle parla aussi de son désir de reconstruire sa famille et rappela que les enfants étaient en sécurité avec elle. Ils étaient entre bonnes mains et cela devait continuer pour lui laisser le temps d'agir et pour permettre au temps de faire son œuvre. Nous fûmes tous ébranlés par ses paroles touchantes. Ensuite, la mère d'accueil raconta ce qu'elle vivait avec Claudette, elle affirma être bien au courant des comportements de la petite, mais elle savait comment les contrôler, comment apaiser l'enfant. Elle expliqua que cela ne s'était pas reproduit depuis quelques semaines, depuis qu'elles s'étaient parlées «entre femmes».

Du côté de la DPJ, il y eut les discours d'usage sur le rôle des pouvoirs publics pour protéger les enfants, sur leur mandat et leurs responsabilités. Puis un éducateur avoua avoir déclenché «l'alerte rouge» à cause d'un événement qui l'avait fortement troublé lui-même. Notons que dans la famille d'accueil, il y a quatre enfants à peu près du même âge, deux garçons et deux filles. Les deux garçons dormaient dans la même chambre, dans des lits superposés, et les deux filles aussi. Or, un soir, au moment où les filles allaient se coucher, Claudette observait sa compagne en train de grimper l'échelle qui donne accès à l'étage supérieur. Elle lui fit alors la remarque suivante: «Tu as de belles bobettes rouges. Je les aime!» L'éducateur trouva cette remarque tendancieuse et scandaleuse et, à la lumière des traumatismes que Claudette avait subis dans le passé et qui venaient d'être dévoilés, il s'était convaincu de la dangerosité sexuelle de la jeune fille. C'est pourquoi il recommandait de la placer d'urgence en centre d'accueil fermé ! Je n'osais même pas le regarder tant je le trouvais lui-même déviant.

Puis ce fut le tour de la psychiatre qui se mit à débiter des théories allant dans le sens de la pensée de l'éducateur, sur les dangers de récidive chez les enfants victimes d'agressions et sur les menaces qu'on faisait courir à d'autres enfants si on laissait Claudette en liberté. Je lui demandai bientôt si elle avait déjà rencontré l'enfant, si elle l'avait déjà évaluée ou même aidée, sait-on jamais ? Or, elle admit ne l'avoir même jamais vue ! Bien sûr, on lui en avait parlé abondamment... Elle formulait donc des hypothèses fort « conjecturales » et dut battre en retraite. Par la suite, cette belle équipe nous invita tous trois à quitter les lieux. Ils devaient délibérer et cela devait se faire sans nous. On nous aviserait de leur décision dans les plus brefs délais. Depuis, on n'en a plus entendu parler ou presque puisqu'ils continuent à chercher des coupables. Pas de nouvelles, bonnes nouvelles ?

Désormais, on savait ce qui s'était passé. Et les traumatismes des enfants étaient grands. Claudio ne s'en remettait pas, il devait suivre une thérapie, mais rien ne bougeait du côté du Centre jeunesse. Heureusement, il y avait un éducateur très dévoué qui l'accompagnait et l'encourageait, mais en même temps il le poussait à tout dévoiler et à dénoncer les coupables. Or, Claudio en était incapable à cette époque. Il aurait pourtant suffi de l'accompagner, simplement, sans rien demander en retour. Claudio était tourmenté et se sentait grandement coupable. Il avait été le premier à goûter à la médecine de sa mère, le premier à être agressé en bas âge, avec son accord à elle. Par la suite, il avait dû recommencer ces jeux honteux avec son petit frère et sa petite sœur et les entraîner dans ce vice, encore avec les encouragements maternels. Puis, il y avait eu ces hommes qui demandaient toutes sortes de faveurs et qui les épiaient dans ces moments si intimes et si douloureux. Claudio ne pouvait s'enlever de l'esprit leurs regards avides, leurs gloussements de plaisir et leur abominable comportement sans remords. Il ne pouvait oublier les moments où il suppliait sa mère de faire cesser ces jeux dégoûtants et il se rappelait ses réponses cruelles : « Fais-le pour moi, c'est pour notre bien. Fais-le, sinon ils vont me tuer. »

Il avoua à sa grand-mère toute la honte qu'il ressentait envers son frère et sa sœur ainsi que sa grande culpabilité. « Ils ne me pardonneront jamais », pensait-il. Il en rêvait et, chaque soir, on l'entendait pleurer, supplier et se morfondre dans cette atroce culpabilité. C'est pour cette raison qu'il se cachait et ne sortait pas. C'est aussi pour cela qu'il ne pouvait créer de liens, ni arriver à avoir d'érection. La grand-maman le prenait en pitié et elle avait décidé de le garder auprès d'elle pour l'aider à panser ses plaies et pour ne pas qu'il fasse de bêtises. Il avait parlé plusieurs fois de suicide et ses comportements autodestructeurs inquiétaient au plus haut point la grand-mère. Le soir, il se balançait dans son lit, il jouait avec un couteau et s'infligeait de petites lacérations sur les bras.

Quelque temps plus tard, la grand-mère prit rendez-vous avec moi pour me faire part d'un projet qu'elle mijotait. Elle ne savait pas trop comment procéder, mais elle voulait rebâtir la famille à tout prix avec ses propres moyens. Elle était la doyenne et la seule qui pouvait agir. Elle jura donc de tout faire pour aider ses petits-enfants à refaire leur vie ensemble et en harmonie. J'étais plutôt d'accord parce que, dans les choses familiales, même lorsqu'il y a eu de grands stress, même quand les blessures sont profondes, même quand il y a eu des conflits et des trahisons, il reste toujours une flamme qui peut rallumer l'énergie et remettre en place les vraies valeurs et les liens humains intimes. Quoi que l'on pense souvent, c'est presque toujours le premier processus utile à mettre en marche, avant même d'entreprendre des thérapies professionnelles de toutes sortes, offertes par des gens qui sont étrangers à la famille. C'est aussi souvent la chose la plus efficace et la moins risquée à faire. Je croyais fermement que cette petite femme malingre avait en elle la capacité de réaliser son rêve et j'allais l'aider.

Elle voulait organiser un événement familial en profitant de l'anniversaire des jumeaux qui auraient bientôt 12 ans pour réunir la famille et créer un grand momentum. Elle parlerait officiellement à tous les membres de la famille en même temps, elle ferait référence aux événements passés qu'il fallait maintenant conjurer et mettre de côté, et elle lancerait le mouvement de réparation et de réconciliation. Les thérapies viendraient ensuite, si nécessaire. Elle souhaitait inviter des amis de la famille, en l'occurrence moi, pour accompagner les jumeaux, ainsi que l'éducateur de confiance pour soutenir l'aîné. Claude et Claudette étaient d'accord, elle leur en avait déjà parlé, et ils souhaitaient ma présence et celle de leur mère d'accueil. Tout ce qu'ils voulaient, c'est qu'on ne les questionne pas sur les sordides événements antérieurs. Quant à Claudio, il était très inquiet du jugement de la famille sur ses comportements, mais il était prêt à collaborer. Même le père, ce complice du drame, acceptait de vivre l'expérience. Le projet irait de l'avant. On fixa une date, un samedi soir, chez la grand-mère, lors d'une fête donnée en l'honneur des enfants.

Or, l'éducateur de la DPJ aussi était invité. Et pour obtenir la permission de travailler un samedi, il devait en aviser ses supérieurs. Cela, nous ne l'avions pas prévu. Dès qu'ils furent avertis de cette initiative, ces « supérieurs » se mirent à remettre en cause la pertinence de l'événement et même à douter de la capacité de la grand-mère de l'assurer. Ils nous firent part de leur méfiance par rapport à cette rencontre et du danger de dérapage qu'ils envisageaient. «Qu'arrivera-t-il si un enfant tombe en crise? Comment allez-vous vous assurer qu'il n'y a pas de risque de suicide après l'événement? Qui sera responsable? Qui animera la soirée?»

Si la réunion devait se tenir, ce avec quoi ils n'étaient pas tellement d'accord, elle ne devait pas avoir lieu sans eux. Cela voulait dire qu'il fallait inviter toute leur équipe et sûrement, pensais-je, pendant les heures ouvrables! Ils découragèrent donc la grand-maman, menacèrent les enfants de représailles s'ils y participaient (placements et déplacements) et empêchèrent tout bonnement cette réunion familiale. Grâce à eux, nous revenions à la case «départ», celle où il ne se passe rien. C'est la situation la plus dangereuse, car les enfants perdent irrémédiablement l'appui de leur famille pour se retrouver entre les mains de purs étrangers qui prétendent vouloir leur bien. Pour Claudio, la déception était grande, même s'il se sentait temporairement soulagé, et à mon avis le risque suicidaire s'en trouvait grandement augmenté. Pour les jumeaux, ce fut un chagrin de plus qui risquait de les mettre encore sur une voie d'évitement. Pour la grand-mère, c'était beaucoup de temps perdu et beaucoup d'efforts déployés inutilement.

Pourtant, elle ne s'est pas découragée complètement. Dernièrement, elle m'a téléphoné pour me dire qu'elle tenterait à nouveau d'organiser sa soirée et qu'elle n'inviterait que des personnes fiables. Elle n'a pas encore abandonné et, pour les enfants, c'est cela qui compte le plus. L'histoire continue et l'espoir se maintient.

ÈVE, LA PETITE FILLE PRISE EN OTAGE

▼

Ève, c'est une petite fille de 9 ans qui me racontait récemment dans son langage clair et cru qu'elle se sentait « comme un morceau de viande entre deux tranches de pain ». Et pour cause ! Depuis plusieurs mois, elle était ballottée entre des parents inconstants et excessifs, et une série d'intervenants aussi inconstants envers elle, tous jurant d'agir dans son intérêt.

Depuis plusieurs années, en fait depuis sa naissance, elle était victime de circonstances défavorables, de graves maladies et de services inadéquats. Pourtant, tout ce qu'elle demandait, c'était un peu de paix et de répit, et beaucoup d'amour, que seul son père lui offrait même s'il était jugé inapte par tous les intervenants qui le cotoyaient. Les querelles n'avaient de cesse, car ce père était impulsif et violent, et cela lui occasionnait les pires jugements.

Par ailleurs, Ève essayait constamment de me faire prendre le relais. Je ne pouvais que la laisser se fondre dans mes bras, la rassurer autant que possible et, surtout, prendre sa défense et entretenir son espoir.

Ève est née par une froide soirée d'automne pluvieuse et sans lune. Pour elle, la lumière n'était pas au rendez-vous, mais la douleur elle, oui. L'accouchement fut difficile et laborieux. On dut faire vite, car l'enfant était en grande souffrance et, comme le temps pressait, on utilisa les stimulants utérins et les forceps, ce qui la traumatisa au plus haut point et lui laissa une énorme ecchymose sur la joue et sur tout le côté droit de la tête.

Compte tenu de ces grandes difficultés, on ne put la déposer sur le ventre de sa mère pour un contact privilégié comme il se doit, et on la transporta rapidement aux soins néo-natals pour la garder à la chaleur et soutenir sa respiration affaiblie. Ce n'était que l'aboutissement d'une grossesse difficile. Les liens mère-fille ne purent donc se créer à cause de cette absence de contact dans les premiers jours de vie ainsi que, entre autres, à cause de la terrible dépression de la mère qui n'arrivait pas à se soutenir elle-même.

Pendant toute la durée de la grossesse, le père avait été muté dans l'Ouest canadien pour son travail et la maman, ne pouvant s'occuper de tout, s'était montrée très peu enthousiaste envers l'enfant à naître. Pas de paroles douces ni de tapotements amoureux sur le ventre. Son alimentation laissait à désirer et, la plupart du temps, elle se contentait de fumer tabac et marijuana en alternance, ce qui lui laissait une sorte de répit, toujours renouvelable, pour soulager ses angoisses, ses peines et ses ennuis. Les peines remontaient à loin puisque, d'après ses dires, elle n'avait connu ni grands ni petits bonheurs, pas plus au cours de son enfance qu'avec son conjoint qui la battait ou l'engueulait fréquemment. Ne l'avait-il pas violée brutalement pour provoquer la naissance de « sa » fille ? Il en avait été de même avec son propre père et ses frères qui, chacun leur tour, quand ce n'était pas ensemble, l'avaient battue ou lui avaient fait endurer les sévices de la chair non consentie.

Ève portait en elle cette douleur, cet esclavage et ces supplices. Sa vie débutait sur une fausse note. Après sa naissance, elle passa plus d'un mois à l'hôpital, seule, intubée par périodes, car elle cessait souvent de respirer comme pour signifier son peu d'intérêt à vivre. Pendant toute la durée de son hospitalisation, elle ne vit pas sa mère. C'est une bénévole qui dut la sortir de l'hôpital et la reconduire à la maison, sa mère n'étant pas disponible. Heureusement, quelques semaines plus tard, le père revint s'occuper d'elle. C'est ainsi que Ève fit la connaissance d'un homme ambigu, colérique, mais tellement amoureux de sa fille que celle-ci en perdait parfois tous ses repères.

À 3 mois, comble de malchance, on dut l'amener de nouveau à l'hôpital pour une méningite qui faillit lui coûter la vie. Elle subit encore une pénible hospitalisation de deux mois, avec l'attirail inquiétant des salles d'urgence, des soins intensifs et des tubes placés dans les divers orifices. Sans compter l'effet de la méningite et l'engourdissement global qui s'ensuit ainsi que son impact sur le développement. Ce fut une autre période de solitude au cours de laquelle les parents ne purent être présents. Pour avoir un peu d'attention et un minimum d'affection, Ève ne pouvait compter que sur des bénévoles encore une fois. Heureusement, on trouve toujours quelqu'un dans les milieux des soins pour porter intérêt à un enfant et non pas seulement à sa maladie. C'est ainsi que Ève apprit à faire confiance à ceux et celles qui voulaient d'elle. Elle apprit très jeune que pour trouver du réconfort, il fallait le chercher soi-même.

Elle resta de nature maladive et frêle, et dut subir d'autres hospitalisations, surtout pour des maladies respiratoires. On la qualifia d'asthmatique chronique, elle faisait des otites à répétition et comme elle ne s'alimentait pas bien, elle fit de l'anémie en bas âge. On la trouva dénutrie dès son premier jour d'école. La maman se reprit un peu en main, moins dépressive, mais il était difficile pour elle de s'occuper d'un enfant, de sorte que Ève fut souvent confiée à des amis ou à des voisins. Cependant, elle n'en souffrait pas trop, car elle était occupée à se faire de nouveaux contacts pour se procurer un peu de tendresse. Cela lui apporta néanmoins quelques embêtements, à elle-même et à ses proches.

Un jour, vers l'âge de 5 ou 6 ans, tandis qu'elle était à l'école, elle se confia à son enseignante. Elle lui raconta que son père lui faisait des choses. Selon ses dires d'enfant, il l'embrassait sur la bouche, la touchait souvent à des endroits intimes et la chatouillait tout le temps partout… tout cela dit sur un ton bon enfant, comme si c'était normal. L'enseignante s'empressa de la référer à la DPJ, comme il se doit. Ce fut la première intervention de ce service, mais non la dernière.

La cause se retrouva devant le tribunal, mais le juge décréta un non-lieu quand il entendit Ève changer ses dires, se contredire au sujet des moments et des lieux où avaient prétendument eu lieu les actes reprochés et, finalement, avouer clairement que son père n'avait jamais abusé d'elle et qu'elle avait inventé les attouchements aux parties intimes pour le punir de ne pas être assez souvent avec elle.

Robert, le père, n'avait pas toujours été très sage, disait-il à qui voulait l'entendre. Issu des centres d'accueil, comme il le proclamait, il en avait contre ce système qu'il détestait, même s'il ne pouvait en suggérer de meilleurs. «Ce sont tous des *crosseurs*», disait-il encore, en finissant par admettre que ce n'était pas si mal et que c'était tout de même mieux que la rue «quand personne ne veut de toi», continuait-il. Cependant, il n'avait pas trouvé le bonheur dans de tels centres et il semblait avoir appris à se débrouiller très tôt, dans la vie, et plutôt… mal. Était-ce la faute des centres d'accueil ou celle des traumatismes et des abandons? Nul ne le sait et même pas lui, reconnaissait-il.

Dans sa jeunesse, il avait commencé à se débrouiller tôt, d'abord en faisant de petites arnaques avec les pensionnaires du centre, puis des vols à l'étalage et de la revente de drogue.

Lors des sorties, les vols devenaient de plus en plus gros : cigarettes et bière dans les dépanneurs, puis appareils électriques et autres biens facilement revendables. Dès sa libération, à 18 ans, Robert avait été recruté par la pègre locale pour commettre des crimes de plus en plus sérieux et violents, dans une sorte d'escalade sans fin. Cependant, contre toute attente, il réussit à s'en sortir après quelques années parce qu'il avait un caractère fort et imprévisible, et aussi grâce à deux événements qui l'avaient marqué fortement.

Il préparait depuis longtemps un coup fumant concernant une banque. Par malheur, qui s'avéra finalement un bonheur, il tomba malade et fit une grosse fièvre qui le laissa affaibli et incapable de mener à bien son opération illicite. Il dut alors consulter un médecin qui lui fit une ordonnance pour une angine et il se pointa non pas à la banque, mais à la pharmacie. Une fois à la caisse, il vit la commis et en tomba follement amoureux, au point de tout lâcher et de refaire sa vie. Comment y réussit-il ? Cela reste un mystère.

Il laissa toutes ses activités illicites pour Adèle, car il voulait l'épouser et il savait que son métier était carrément incompatible avec cette jeune femme, sa vie et sa façon de voir les choses. Elle ne les aurait jamais tolérées. D'ailleurs, ils voulaient un enfant au plus tôt et cela aurait été encore moins acceptable. Adèle était casanière, elle vivait encore chez ses parents et, se plaisait-il à dire, elle n'avait jamais couché avec quiconque. Elle avait bien eu un petit ami, mais rien ne s'était passé entre eux, c'était une trop bonne fille. En effet, elle était très calme et ne parlait pas beaucoup. Elle se contentait de vous regarder sans trop d'expression et elle préférait être seule plutôt qu'en compagnie. À la petite école, on l'avait surnommée « la retardée » à cause de cette tendance à fixer les gens sans dire un mot et de son habitude de s'isoler. Adèle représentait une planche de salut pour Robert qui en était réellement amoureux. Il remerciait le ciel de lui avoir fait rencontrer cette femme faite sur mesure pour lui.

Peu de temps après cette rencontre, il se produisit un deuxième événement. Robert reçut un appel d'un ancien détenu de la prison où il avait été incarcéré plus d'une fois, l'invitant à joindre un groupe de travailleurs de la construction pour effectuer un contrat en Colombie-Britannique. Il ne connaissait rien à la construction, mais son compagnon possédait sa carte de compétence en menuiserie et lui proposa de le prendre comme apprenti. Il accepta et partit pendant trois ans avec Adèle, ce qui lui permit d'une part d'apprendre un métier qu'il se mit à adorer et, d'autre part, de mettre sa fille au monde. À l'âge de 36 ans, il réalisait enfin sa vie et démontrait sa juste valeur. Il restait bien des traces de son passé, comme cette grande impulsivité qui pouvait le rendre violent par moments, surtout en paroles, et cette façon de réagir spontanément à tout système de contrôle, comme un animal en cage, mais c'était peu de choses en comparaison avec sa vie antérieure. Cela ne lui enlevait aucunement d'ailleurs ses qualités de compagnon pour sa femme et de père pour son enfant. Il démontrait une affection sans limites pour ses deux femmes. Parfois, il dépassait les bornes et devenait agressif, adoptant des attitudes menaçantes ou proférant des menaces verbales. C'était plus fort que lui. Il ne pouvait pas encore contrôler ces excès qui lui venaient du passé.

Ainsi, quand la DPJ débarqua chez lui avec une accusation d'agression sexuelle sur sa fille de 5 ans, « son trésor » comme il disait, il éclata d'une violente colère. Il invectiva tout le monde et leur interdit l'accès à sa maison. La police dut intervenir parce qu'il ne se maîtrisait plus. Les intervenants prirent peur, ce qui les poussa à porter des jugements rapides sur la dangerosité et même sur la culpabilité de ce père. Un homme aussi violent d'allure ne pouvait qu'être coupable ! Il fit même sortir le policier de sa maison, ce qui lui coûta une accusation de résistance et de menace aux forces de l'ordre.

L'enfant fut retirée du foyer familial et placée en famille d'accueil en attendant le processus d'évaluation et la requête au tribunal.

Pour la première fois depuis qu'il s'était affranchi du monde criminel, Robert pensa qu'il devrait peut-être y retourner pour se venger et se faire justice. D'ailleurs, il allait y repenser une deuxième fois, quelques années plus tard, dans des circonstances semblables. Il n'y retourna pas, mais décida de s'affranchir de cette fausse accusation en faisant appel aux services d'un avocat qu'il dut payer grassement. Il n'allait rien ménager pour faire valoir la vérité, celle d'un père certes maladroit et excessif, mais aimant sa fille et sa femme par-dessus tout, celle aussi d'un homme incapable de faire de telles choses à son enfant.

Il se passa trois mois avant que le jugement confirme son innocence grâce à un juge soucieux du meilleur intérêt de l'enfant (il y en a, et même plusieurs). Les accusations ne tinrent pas longtemps, mais l'enfant resta séparée de son père pendant toute cette période, sans droit de contact ! Il s'en fallut de peu pour que le père ne tombe en dépression et abandonne son combat, mais son énergie débordante l'aida à tenir le coup. Pour la mère, cependant, il en fut autrement. Elle sombra dans un état de tristesse profonde et s'isola davantage, refusant même de se présenter au tribunal, prétextant quelque maladie physique comme elle le faisait souvent dans les situations difficiles. Dans les pires moments, on la retrouva même en fauteuil roulant.

Le juge annula donc l'accusation. Il félicita même le père pour son courage et sa détermination, bien qu'il ne manqua pas de lui reprocher son langage quelque peu violent devant la cour. Le juge retourna l'enfant dans sa famille. Robert n'était pas peu fier de cette victoire à l'arraché et blâmait sévèrement la DPJ pour ses interventions trop rapides, trop musclées, excessives et abusives. Toute sa vie, il allait garder rancune à la société pour les traumatismes vécus par sa fille.

Quand Ève revint à la maison, elle dut vivre sans comprendre ces événements malheureux qui venaient d'avoir lieu, gardant une certaine rancœur envers son père pour l'avoir ainsi abandonnée. Elle allait aussi être exposée à une mère non disponible, souffrante et dépressive pendant une bonne partie des années à venir. Elle manqua de l'affection et de la tendresse que sa mère ne pouvait pas lui donner et que son père ne lui offrait qu'occasionnellement, car il travaillait maintenant à l'extérieur et ne venait en visite à la maison qu'une fois par mois, pendant trois jours. Il avait beau consacrer entièrement ces trois journées à sa fille, cela ne comblait qu'une infime partie de ses besoins d'enfant. Elle souffrait donc d'une grande carence affective qui la perturba profondément, mentalement et physiquement.

Quand je rencontrai Ève pour la première fois, elle avait 8 ans. Sa situation familiale ne s'améliorait pas beaucoup et sa santé se détériorait. Son corps n'arrivait pas à la soutenir et elle était constamment affectée de divers troubles respiratoires, depuis des otites jusqu'à de simples grippes, en passant par de graves troubles respiratoires qui l'empêchaient de faire des activités normales pour son âge. Chaque année, elle devait être hospitalisée en moyenne quatre à cinq fois afin de contrôler l'asthme avec des antibiotiques ou des médicaments à base de cortisone. Elle souffait aussi de grandes carences physiques qui ruinaient sa santé globale.

Elle avait l'air d'une enfant mal nourrie ou anorexique, et plusieurs personnes s'inquiétaient de son état, à juste titre d'ailleurs. Elle s'absentait souvent de l'école, ce qui était préoccupant. Les intervenants finirent par se poser des questions et exiger des comptes aux parents.

Les résultats scolaires de Ève étaient désastreux, et bien que tous aient reconnu le potentiel de l'enfant, on ne pouvait rien faire pour l'aider, étant donné qu'elle ne faisait pas souvent ses devoirs à cause de ses absences répétées. Lorsqu'on demandait à Ève ce qui se passait à la maison, elle refusait de parler, encore très consciente de ce que ses confidences avaient provoqué dans le passé.

Habituellement, la mère ne répondait pas aux demandes de l'école et n'inscrivait rien sur les fiches de rappel. Comme le père était la plupart du temps absent de la maison, il ne savait rien de ce qui se passait et il ne pouvait pas informer les personnes responsables. Ce qui devait arriver arriva : on s'entendit à l'école pour faire un signalement à la DPJ. Ève venait d'avoir 9 ans.

On évalua la situation et, bien sûr, on rouvrit des dossiers qui avaient été fermés. Dès sa première visite, l'intervenante constata que la maison était mal tenue, qu'il y avait un manque d'hygiène flagrant, pas beaucoup de réserves de nourriture et une mère peu coopérative. Celle-ci était encore une fois dans une phase descendante, elle était donc peu ouverte, manquait de toute évidence d'habiletés sociales et n'était pas du tout disponible pour sa fille. On remarqua tout cela et on retint surtout le peu d'interaction mère-fille. Or, comme le seul parent disponible semblait non adéquat pour soutenir l'enfant, on jugea rapidement que la situation compromettait son développement et sa sécurité, surtout avec l'allure générale qu'elle présentait. Elle était pâle et avait les traits tirés comme si elle n'avait pas dormi depuis des jours.

On demanda un placement d'urgence et on vint la chercher dès le lendemain de la première visite de l'intervenante en protection. Cette fois, elle fut mise dans un centre pour jeunes filles au lourd passé et présentant divers troubles de comportement. Ève étant carencée à plusieurs points de vue, beaucoup de ses attitudes et comportements faisaient état de son immaturité, ce qui la rendait très vulnérable et sans protection. Or, en la plaçant dans un tel centre, on ne considérait pas ce point important de sa personnalité et on la mettait à rude épreuve.

Souvent, les intervenants de la DPJ ont la fâcheuse habitude d'agir en vase clos et ils ne font pas assez de liens avec les milieux pour bien comprendre les enfants et s'assurer de ne pas leur nuire. Dans ce cas-ci, on procéda rapidement avec peu de vérifications et on négligea d'assurer les arrières, toujours avec la fausse assurance que l'on prenait bien soin de l'enfant. On était convaincu d'agir pour son bien! On avait suivi les règles pour assurer la mise en protection de la fillette, mais en ne connaissant à peu près rien d'elle et de ce qu'elle avait vécu. Encore une fois, on se basait sur les apparences, qui sont pourtant si trompeuses et différentes selon chaque milieu, en oubliant que la réalité est souvent très différente quand on prend la peine de fouiller davantage et de s'associer des partenaires du milieu. Cela devrait toujours être fait quand la santé d'un enfant est en jeu.

Malgré tout, en centre, Ève se trouva bien entourée. D'ailleurs, grâce à sa grande spontanéité, elle se lia rapidement d'amitié avec une jeune intervenante. Son besoin d'affection était si grand qu'il lui permettait de déceler rapidement la personne la plus susceptible de lui témoigner de l'amour. Cette intervenante s'appelait Andréa et elle se laissa prendre rapidement à ce jeu qui allait mal tourner.

Ève trouvait l'endroit agréable. La plupart des filles de l'unité, pensionnaires comme elle, l'ignoraient, comme il est normal pour des adolescents d'ignorer un enfant qui essaie d'entrer dans leur groupe. À la faveur de telles circonstances, elle s'approcha toujours davantage d'Andréa. Celle-ci la laissait se coller contre elle, l'invitait dans son bureau pour bricoler ou pour dessiner, et elle finit par lui donner un traitement particulier. Elle lui apportait des gâteries et des petits cadeaux, et elle s'en occupait un peu comme d'une sœur. Dans chaque milieu qu'elle avait fréquenté, Ève avait toujours été habile pour s'approcher des personnes sensibles, que ce soit à l'école, à l'hôpital ou ailleurs. Et c'était encore le cas. Cependant, sa demande était immense et ses besoins sans fond, de sorte qu'après s'être liée d'amitié, elle exigeait de plus en plus et finissait par devenir totalement envahissante.

Pendant ce temps, à la maison, c'était le branle-bas de combat. La mère avait informé le père de ce qui se passait et celui-ci était rapidement revenu pour régler la situation. Il était dans tous ses états et ne parlait que de vengeances. Encore une fois, il s'agissait de mots, seulement de mots, toujours des mots… Il appela à la DPJ et n'eut de cesse d'engueuler tout le monde et son voisin. Il était désespéré et n'en avait que pour sa pauvre petite fille qui se trouvait désormais entre les mains de ces monstres qu'il allait faire souffrir un à un, de ses propres mains. Il pensa même appeler ses anciens amis du monde interlope pour l'aider dans cette tâche !

C'est à ce moment-là que je fis sa connaissance. Il avait vaguement entendu parler de moi comme étant critique face à la DPJ et pas toujours d'accord avec leurs façons de faire. J'avais acquis cette réputation à cause de mes prises de position auprès de plusieurs familles du quartier dont ces services avaient abusé. J'agissais un peu comme expert pour les enfants et les familles afin d'équilibrer les forces par rapport à un service qui permet souvent des interventions trop rapides, invasives et irrespectueuses envers une population défavorisée et sans défense.

Pour ceux qui en douteraient, il est évident que cette façon de faire est beaucoup plus fréquente en milieu défavorisé pour de multiples raisons, entre autres parce qu'on juge rapidement sur les apparences et que l'on sait bien que des parents peu informés sont incapables de se défendre contre un système judiciaire et des intervenants ayant plein pouvoir.

Ce père éploré vint donc me raconter son histoire, persuadé que j'étais la seule personne qui pourrait l'aider à résoudre son problème. Au-delà de ses mauvais amis, au-delà de ses menaces envers et contre tous, il me déléguait l'entière responsabilité du cas en m'assurant de sa confiance totale et de «considérations futures» !

Il ne comprenait pas très bien ce qui se passait. Il admettait que la mère n'était pas dans une situation idéale pour prendre soin de l'enfant, mais il m'assurait que son enfant était en sécurité parce que des amis et des parents se relayaient autour d'elle pour lui apporter de l'aide. Il disait téléphoner chaque jour à l'enfant pour lui dire son amour et pour la rassurer quand elle était malade ou en difficulté. Elle lui racontait alors ce qui lui arrivait et il lui faisait part de son ennui. Donc, dans une certaine mesure et compte tenu des circonstances, il faisait de son mieux pour assurer la sécurité de l'enfant et son bien-être. Il expliqua les nombreuses absences scolaires par la fatigue de l'enfant et ses divers problèmes de santé. Selon lui, elle s'alimentait bien, même si elle était difficile, dormait tôt et ne souffrait d'aucune carence particulière.

Lui-même s'ennuyait cruellement de Ève. C'est ce qui le traumatisait et l'inquiétait le plus, et il ne comprenait pas pourquoi on coupait ainsi les liens d'un enfant avec son entourage. Pas plus que la mère, il n'avait le droit de la contacter, même au téléphone. «Je ne suis pas un criminel!, se lamentait-il. Comment peuvent-ils agir ainsi avec un enfant? Ne savent-ils pas qu'elle est malade? Ils ne savent même pas qu'elle prend des médicaments…» Alors, il partait dans une longue diatribe sur leur incompétence et leur ignorance. «Ce sont de vrais sans cœur qui ne méritent pas de travailler avec des enfants», concluait-il après d'autres invectives qu'il vaut mieux ne pas répéter ici.

Je lui dis alors que je voulais voir l'enfant et la mère au plus tôt. Or, c'était impossible pour le moment, car Ève était en réclusion complète, sans droit à aucun contact extérieur, comme si elle-même était une criminelle et que ses parents étaient de dangereux bandits !

Je la vis pour la première fois quelques semaines plus tard lors d'une première sortie autorisée par le tribunal, à la demande de l'avocat représentant l'enfant. La maman était présente et je soupçonnai que le père avait dû insister fortement pour qu'elle y soit. Elle marchait difficilement, avec une canne, se plaignant d'intenses maux de dos qui l'empêchaient de dormir, de son manque d'appétit et de sa fatigue extrême. Je l'arrêtai vite, car elle aussi avait besoin de beaucoup d'attention, mais j'avais l'excuse de vouloir mettre l'accent sur Ève.

Chère Ève… Elle m'observait attentivement. Elle sentait peut-être ma sensibilité, mais elle avait dû également entendre son père vanter mes mérites, car elle se jeta dans mes bras. Elle s'accrocha ainsi à moi pendant plusieurs minutes. Je décidai dès le départ de m'isoler avec elle pour l'écouter. Je voulais en savoir plus et je tenais à ce qu'elle reste spontanée et ouverte.

Bien avant que j'aie eu le temps de lui poser la moindre question, elle commença à m'en poser elle-même, pendant au moins trente minutes. Elle voulait savoir qui j'étais, si j'avais des enfants, si j'étais marié, pourquoi je voulais l'aider… et une foule d'autres questions toujours plus personnelles. Pendant ce temps, elle m'étudiait, avec ses petites lunettes dorées sur le bout de son nez minuscule, regardant rarement dans le verre, mais surtout au-dessus, avec un regard toujours plus interrogateur. Quel contraste entre ce questionnaire en règle et son premier élan vers moi, sans retenue et sans pudeur ! Ève avait sa méthode bien à elle, mûre malgré sa jeunesse. Elle avait été si souvent traumatisée qu'elle avait appris, à la dure école, à toujours appréhender le pire et à bien cerner ses proches.

Lorsqu'elle eut terminé son investigation, elle passa à des questions plus précises sur les raisons de son placement.

«Pourquoi on ne me laisse pas voir mon père? Je l'aime et il ne me fait pas de mal, il est bon pour moi.» Elle ne parla pas de sa mère et, à mon souvenir, elle n'en parla pratiquement jamais par la suite, sinon pour me confirmer que celle-ci était malade, qu'elle la plaignait ou qu'elle l'aidait de son mieux. Cependant, avant de lui laisser poser toutes ses questions bien légitimes, je l'arrêtai pour en savoir plus moi-même à son sujet.

Je me rendis compte que ses souvenirs remontaient à très loin. Elle n'hésitait pas à en parler, et de façon si directe qu'elle me laissait songeur et surpris. Elle me raconta d'abord un vague souvenir d'hôpital qu'elle reliait dans son esprit à ses premières années de vie, à sa naissance difficile, à sa méningite, quelques mois plus tard. «Je me souviens, me dit-elle, j'avais mal partout, surtout dans la tête.» Elle me parla de confinement dans une cage en verre (l'incubateur?), de tubes connectés partout sur son corps, d'un bruit d'enfer et d'une douleur constante. Elle me racontait tout cela en vrac, comme si c'était arrivé la veille, et aussi de façon détachée, sans émotion. Je l'écoutais sans l'interrompre.

Parmi ses souvenirs de ces événements, quelle était la part de ce qu'on lui avait raconté? Quels étaient ses souvenirs réels? Qu'est-ce qui relevait de son imagination? Nul ne le savait, mais ses yeux ne mentaient pas. Certes, elle avait vécu plusieurs de ces moments douloureux et, selon mon interprétation, c'est en parlant ainsi qu'elle réussissait à évacuer une partie de sa douleur.

Elle aborda ensuite le sujet de sa grande solitude. Elle n'avait pas d'amies, sauf des enfants plus jeunes. Son aspect physique laissait croire qu'elle n'avait que 6 ou 7 ans et son attitude immature et dépendante allait de pair avec son apparence, de sorte que les «grandes» de 9 ou 10 ans la considéraient encore comme une petite. Elles rejetaient donc d'emblée la petite Ève. Par ailleurs, comme celle-ci essayait toujours de devenir le chouchou des adultes et qu'elle y arrivait assez facilement, elle s'attirait les quolibets des autres enfants. Elle était rejetée, et parfois c'était même l'adulte en question qui la rejetait parce qu'il commençait à la trouver envahissante. Enfin, elle était toujours seule à la maison.

Quand Ève partait à l'école le matin, sa mère dormait encore puisqu'en général elle venait tout juste de réussir à s'endormir, souvent d'ailleurs après avoir fumé quelques «joints» bienfaiteurs qui réussissaient également à apaiser sa détresse. Quand elle retournait à la maison, après les classes, elle y trouvait une maman qui sommeillait déjà ou qui était en pleurs ou encore rivée à la télévision. Ève devait s'occuper d'elle-même à tous les points de vue, que ce soit pour sa nourriture ou pour son habillement qui, selon les autorités scolaires, laissait à désirer. La fillette se débrouillait seule pour faire ses devoirs et, surtout, pour ne pas les faire. Elle choisissait l'heure de son coucher et n'obtenait pas la moindre caresse de sa mère à ce moment-là. Par contre, quand le père était à la maison, il s'occupait d'elle et Ève bénéficiait alors de toute l'attention possible et de plus encore. Le père réussissait donc à compenser un peu pour ses carences et cela jetait toujours un baume sur les blessures de l'enfant. C'est grâce à cela qu'elle persistait et, surtout, qu'elle gardait espoir en la vie. Cependant, le père m'avoua bientôt que l'état de son enfant l'inquiétait de plus en plus, qu'il tentait d'être plus présent car il trouvait qu'elle avait les yeux cernés, qu'elle était d'une maigreur inhabituelle et qu'elle avait une toux de plus en plus persistante, surtout la nuit.

Ève me parla d'un gros malaise physique qui l'affectait. Elle se sentait souvent très faible, incapable de se lever le matin, préférant rester au lit plutôt que d'aller à l'école. Parfois, elle n'arrivait même pas à grimper l'escalier, sa classe étant située à l'étage. À ce moment-là, les enfants se moquaient d'elle. Elle préférait donc éviter ces risées en ne fréquentant pas du tout l'école et en restant seule à la maison. Elle me décrivit une sorte de brûlure dans sa poitrine qui venait et repartait, et qui s'intensifiait à chaque épisode de toux. Elle avait pourtant été hospitalisée, encore récemment, et on l'avait examinée, traitée et prétendument guérie. Elle avait même vu du sang dans ses expectorations, un soir, mais ne l'avait dit à personne. Elle me le confiait, maintenant qu'elle était sur sa lancée qui paraissait sans fin. Elle parlait d'elle avec une passion exceptionnelle, elle cherchait de l'aide et cela pressait, car elle se sentait perdue et très mal. Elle avait l'impression d'avoir été mise en cage.

Elle me raconta son amour pour son père, un amour unique, exclusif. Il lui servait de repère et elle n'en avait pas d'autre. Il était également sa bouée, car c'est grâce à lui qu'elle ne sombrait pas. Il lui portait attention à toute heure du jour. Quand il n'était pas sur place, il le faisait de loin, en pensée ou par tout autre moyen. Cette attention particulière la sécurisait et lui donnait espoir.

Maintenant qu'elle était en foyer d'accueil, maintenant qu'elle en avait besoin plus que jamais, il n'était pas là. Et c'était « la loi des enfants » qui le lui défendait ? C'était si injuste et elle ne comprenait pas pourquoi cela avait lieu. Elle devenait alors sérieuse et concentrée, en questionnement et en réflexion. Dans ces circonstances, sa maturité étonnait.

Elle me décrivit son père comme un papa gâteau, du moins en apparence. Il lui apportait toujours des cadeaux, des chocolats, des vêtements et des gadgets de toutes sortes, sans compter les nombreux toutous qu'elle devait laisser à la porte de sa chambre à cause de son asthme. Bien sûr, elle témoignait une grande reconnaissance à son père pour tous ces cadeaux, et lui-même attendait, comme un enfant, les réactions de sa petite fille. Cependant, la plupart du temps elle exagérait ses réactions pour ne pas lui déplaire et parce qu'elle allait obtenir par la suite ce qu'elle attendait vraiment, ces longues accolades bienfaitrices, ces jeux de saute-mouton sur les genoux et de longues histoires à dormir debout où il était le héros et, elle, la princesse. C'était plutôt un papa idéal, plein de tendresse, d'amour et d'attention envers la personne de sa vie.

Le problème, c'est que cet homme ne payait pas de mine. Bien sûr, ce fait passait complètement inaperçu aux yeux de l'enfant, mais pas à ceux des gens qui les entouraient. Il avait conservé un air de gangster et n'avait pas l'air de ce qu'il était vraiment. Or, ce sont souvent les apparences qui comptent dans la vie plutôt que la réalité. On ne voit pas tout de suite l'esprit, il faut chercher un peu pour le trouver. C'est pourquoi il est préférable d'attendre avant de se faire une idée des personnes, sinon on risque de faire de graves erreurs de jugement.

De plus, son langage laissait plus qu'à désirer, ce qui ne l'avantageait aucunement. Il pouvait dire les pires insanités mais c'était par pure impulsivité, sans mauvaise intention. Il n'avait jamais pu contrôler cette partie de lui-même, ce qui lui occasionnait non seulement les pires jugements, mais qui l'amena au tribunal à quelques reprises pour agression verbale ou intimidation, ou quelque autre accusation non fondée. Chaque fois, le juge finissait par en rire, en lui recommandant de mieux tenir sa langue à l'avenir.

Ève finit notre rencontre en me racontant avec une ambiguïté déconcertante ses derniers jours en centre d'accueil. D'abord, elle me dit candidement qu'elle y était très bien. « C'est super, j'ai plein d'amis. On mange bien. Les intervenants sont gentils. » Pourtant, quand elle le précisait, on se rendait compte que ses amis, c'était tout le monde, et encore ! Plusieurs ignoraient sa présence à cause de son allure enfantine. Certains même l'insultaient. La nourriture était toujours la même, plutôt fade. Les intervenants, en fin de compte, c'était Andréa avec qui elle avait une relation privilégiée, mais qui ne tiendrait pas longtemps et qui deviendrait même son cauchemar. Les autres, elle les connaissait peu, ils changeaient continuellement et ils jouaient un rôle d'éducateurs « ordinaires », se contentant d'appliquer les règles.

Elle me redemanda encore pourquoi on la mettait dans ce lieu, loin de chez elle et de son école, et pourquoi elle ne pouvait pas au moins téléphoner à son père. Elle savait qu'il vivait dans une grande angoisse. Me regardant par en dessous, avec sa petite voix frêle, son air moqueur et son insistance, elle continua à me questionner pour comprendre. Je ne pouvais guère lui fournir de réponse claire. Elle persistait et je finis par lui donner une réponse d'adulte, en lui affirmant que les adultes se trompent parfois, et que tous peuvent se tromper, même moi, ou l'enseignante, ou la police, et même le juge. Que ce n'est pas pour mal faire, mais pour protéger les enfants, pour ne pas qu'ils soient blessés dans leur cœur et dans leur corps. Je ne devais pas être très convaincant parce qu'elle se mit à rire et me spécifia qu'elle n'était pas en danger, qu'elle aimait ses parents et que ses parents l'aimaient, que son père n'était pas dangereux... Pour terminer, elle me dit : « T'es fou ou quoi ? »

Quand tout ce palabre fut terminé, mon idée était de plus en plus claire. Je l'avais bien observée pendant tout ce temps, j'avais écouté son histoire attentivement et je l'avais même examinée, pesée, mesurée, et j'avais fait une évaluation médicale complète. L'association maigreur, dénutrition, troubles respiratoires chroniques, faiblesse, fatigue et autres petits signes me mettaient rapidement sur la piste d'une maladie chronique bien spécifique, la fibrose kystique du pancréas (FKP).

La FKP est une maladie transmise génétiquement et les enfants qui en sont atteints le sont à des degrés divers. Ils peuvent être affectés dès les premiers mois de leur vie ou plus tard, progressivement, avec des difficultés respiratoires, des retards de croissance et un affaiblissement général. Il s'agit d'une maladie chronique qui ne se guérit pas, mais qui peut être soulagée par diverses mesures et certains médicaments d'appoint. Si je prouvais qu'il s'agissait bien de cette maladie, cela expliquerait bien des choses et on pourrait éviter à l'enfant et à sa famille des jugements trop sévères. Le jeu en valait la chandelle. Cela expliquerait l'allure générale de l'enfant, ses nombreuses absences scolaires, ses faiblesses et même son immaturité de développement. Bien sûr, cela n'effacerait pas tout, ni les influences du caractère du père, ni celles reliées à la maladie de la mère, mais on diminuerait certainement la charge qui pesait sur eux et on éviterait ainsi de briser une famille pour des raisons non fondées.

Cependant, je n'osais pas trop y croire, puisqu'elle avait été hospitalisée, investiguée plus d'une fois et suivie par de nombreux spécialistes. Je voulais tout de même faire une ultime tentative. J'en parlai aux parents en leur disant que je ferais faire l'examen qu'on appelle «test à la sueur», mais je leur demandai de ne pas se faire trop d'illusions, car il avait sûrement déjà été fait et devait être négatif puisqu'on avait diagnostiqué officiellement l'enfant comme ayant des problèmes d'asthme.

Le premier résultat arriva de l'hôpital quelques jours plus tard avec la mention «douteux», signifiant que le diagnostic ne pouvait pas être fait de façon certaine, mais qu'il y avait place pour un doute sérieux. Je me gardai d'en dire davantage au père, mais je lui signifiai qu'il fallait recommencer le test, ce qui fut fait rapidement. La deuxième tentative s'avéra plus certaine : le résultat était positif, accompagné d'une note du pneumologue suggérant une investigation d'urgence. Cela fut fait dans de brefs délais. Je téléphonai au médecin pneumologue pour m'enquérir de son opinion et lui demander des précisions. Il avait déjà consulté tous les dossiers de l'enfant et n'arrivait pas à s'expliquer pourquoi il n'y trouvait aucune trace de test à la sueur.

Il arrive parfois de tels « oublis » de système qu'on n'arrive pas à comprendre et qui ne s'expliquent pas. Cependant, on souhaite fortement que cela ne se produise pas trop souvent, surtout dans l'intérêt des enfants. En effet, ceux-ci ne peuvent pas revendiquer facilement leurs droits.

Il pourrait y avoir une Charte des droits des enfants dans tous les systèmes qui offrent des services aux enfants, y compris les hôpitaux, qui leur donnerait une voix au chapitre puisqu'il est question de leur santé et de leur avenir. L'application pourrait très bien relever d'une personne responsable de cette question dans chaque milieu, une sorte d'« ombudsman » pour l'enfant. Cela aiderait aussi les parents à jouer leur rôle. De cette façon, on pourrait certainement éviter bien des injustices et même des erreurs et des incompréhensions nuisibles au développement harmonieux des enfants.

Je fis part de la nouvelle aux parents qui, même s'ils comprenaient l'effet malheureux de cette maladie sur leur fille, respiraient enfin, en se disant que désormais on la traiterait et soulagerait mieux, et qu'après l'hospitalisation, elle pourrait revenir chez elle. La comparution devant le tribunal arrivait à grands pas et j'étais moi-même convaincu qu'il n'y avait plus de cause, du moins pas sur les bases déjà établies puisqu'on venait de trouver de vraies réponses et des explications incontournables à la question de la négligence. Je décidai d'écrire une lettre au tribunal pour clarifier cette situation, m'attendant naïvement à une annulation pure et simple ou à tout le moins à une décision immédiate pour qu'on ramène cette enfant chez elle après l'investigation médicale.

Or, quelques semaines plus tard, j'appris au contraire que le juge avait recommandé un placement prolongé de l'enfant dès sa sortie de l'hôpital, avec droits de visite limités aux parents et même un encadrement sévère des appels téléphoniques de son père parce qu'on craignait une mauvaise influence de sa part.

Je ne comprenais pas ! Le père était dans tous ses états, il criait vengeance, les engueulades allaient recommencer et l'enfant allait encore vivre d'autres stress et en souffrir sérieusement. Comme si sa maladie chronique ne suffisait pas ! On venait de lui annoncer que toute sa vie, elle serait malade et fragile, et qu'elle devrait constamment prendre de multiples médicaments ; et maintenant on la coupait de son milieu encore une fois et pour un laps de temps prolongé.

Je redemandai à voir l'enfant, mais cette fois ce fut encore plus difficile, malgré les requêtes répétées des parents et de l'enfant. Ève voulait revoir « le docteur Julien, mon docteur », disait-elle, mais on lui disait qu'il y en avait d'autres qui travaillaient comme lui avec les enfants, qu'il n'y avait pas de transport pour l'emmener et autres raisons d'adultes avertis. Or, à cause de l'insistance du père qui menaçait d'appeler les journaux pour les dénoncer, on prit rendez-vous en déléguant deux intervenantes pour accompagner l'enfant et la famille. Il s'agissait de la travailleuse sociale attitrée au dossier et de sa chef d'équipe, appelée « superviseure » dans ce milieu.

Comme je voulais agir le plus vite possible, je réussis à trouver une heure de rencontre, tôt le matin, avant l'ouverture de la clinique. Les deux intervenantes se présentèrent avec l'enfant. Elles étaient polies et professionnelles, mais il était évident qu'elles venaient à contrecœur et qu'elles voulaient diriger l'entretien. D'entrée de jeu, devant l'enfant tout heureuse de voir ses parents et de venir « chez moi », elles nous firent comprendre qu'elles ne toléreraient aucun écart de conduite de la part du père qui, déjà, les regardait de travers. Il se tint donc tranquille, jusqu'à ce qu'on aborde la question de la raison du placement, ainsi que les relations tendues entre Ève et son intervenante privilégiée au centre, Andréa. Les deux femmes se mirent alors sur la défensive et adoptèrent une attitude arrogante en nous disant que, d'une part, c'était la décision du tribunal et que, d'autre part, elles n'avaient pas à discuter de ce qui se passait à l'interne. Je les laissai se disputer entre adultes et je sortis dans la cour avec Ève.

Au début, la fillette me raconta un tas de choses sur son séjour à l'hôpital, sur la nourriture au centre d'accueil, sur le fait qu'elle avait beaucoup d'amis (tous les enfants du foyer étaient ses amis), sur son école (on l'avait aussi retirée de son école et elle fréquentait une classe du centre d'accueil) et sur sa joie de me retrouver, « car, me disait-elle, tu es mon docteur préféré ». Après une dizaine de minutes, je l'arrêtai et lui demandai de me parler de ses sentiments. Je voulais savoir ce qui se passait vraiment au-delà des banalités qu'elle me racontait.

Ève a cette capacité, pour ne pas dire cette force, venant probablement de sa lutte pour la survie, de bien cacher ce qui l'affecte au plus profond de son être, et surtout sa peine. Elle rit, parle de tout et de rien, fait l'enfant, sans laisser entrevoir ses faiblesses et ses secrets. Elle les enfouit au plus profond de son cœur, pensant sans doute les évacuer de cette façon. Les gens non avertis s'y laissent prendre. Or, c'est exactement ce que faisaient les deux intervenantes qui essayaient de nous convaincre que l'enfant était bien au centre, qu'elle riait tout le temps et que tout était parfait. Les parents et moi-même n'étions pas dupes.

Elle finit par me faire part de son désarroi et de sa souffrance. Elle m'avoua pleurer seule dans son lit tous les soirs en pensant à ses parents. Elle pensait secrètement avoir fait quelque chose de mal, mais elle ne pouvait trouver ce qui avait bien pu se passer. Elle me confirma qu'elle n'avait pas d'amis au centre et qu'en fait, elle avait peur de plusieurs des enfants, qui la harcelaient ; certains, au contraire, l'ignoraient complètement. Elle me raconta les remarques désobligeantes des intervenants lorsque son père réussissait à lui parler au téléphone, sous écoute. Elle me rapporta leurs attitudes lorsque, immanquablement, ils finissaient par couper la communication à cause des «gros mots» du père qui se savait écouté et qui s'adressait souvent à ces «espions» dans un langage brutal. Enfin, elle me confia son amour pour Andréa et sa peine de ne plus pouvoir s'y référer depuis quelque temps.

Andréa était devenue, sans le savoir, la personne la plus importante pour Ève. Au début, elle trouvait le contact avec ce nouvel enfant plutôt agréable et rafraîchissant. Dans certaines circonstances, soit pour faire taire ses émotions négatives soit par pur mécanisme de survie, Ève devenait tendre, attachante et agréable, elle savait se faire aimer d'emblée par les adultes. Il en avait été ainsi pour Andréa pendant un certain temps. Puis, l'enfant était devenue insistante et exigeante, et Andréa avait voulu s'en éloigner. Mais cela devint de plus en plus difficile pour les deux parties.

L'enfant se sentait rejetée, trahie et non aimée. «Elle me haït», me dira-t-elle plus tard lorsque les événements devinrent plus compliqués. Andréa, de son côté, se sentait envahie et ne pouvait plus jouer adéquatement son rôle d'intervenante. Elle coupa donc les ponts et refusa désormais les avances de l'enfant. Pourtant, c'était la seule personne qui pouvait rassurer et consoler Ève qui l'avait choisie précisément pour remplacer temporairement ceux qu'elle aimait. Malheureusement, Andréa ne voyait plus les choses de cette façon.

Ce jour-là, notre rencontre se termina sur une mauvaise note, car au moment où je revins dans le bureau avec l'enfant, les intervenantes étaient debout d'un côté de la pièce, prêtes à partir. De l'autre côté, les parents parlaient entre eux de cette race de gens avec qui il n'y a rien à faire. Ève se lança dans les bras de son père, mais les deux femmes l'emmenèrent rapidement. J'eus à peine le temps de lui dire que je ne la laisserais pas tomber.

Quelques semaines plus tard, il y eut un nouveau rebondissement dramatique. Le père m'appelle pour me demander de voir son enfant d'urgence afin de l'examiner à la suite d'une agression. «Quelle agression?», lui dis-je. Il l'avait reçue chez lui, la veille, lors d'une visite qui avait été autorisée pour quelques heures. Le père avait alors remarqué que la petite avait des ecchymoses à deux endroits sur le corps. Selon l'enfant, c'était Andréa qui lui avait fait cela!

Au téléphone, le père proférait des menaces et, selon ses dires, les gens de la DPJ ne l'emporteraient pas au paradis. «Ils sont censés protéger les enfants et ils les battent», jurait-il. Je la reçus donc de toute urgence puisqu'il ne l'avait pas retournée au centre d'accueil comme il le devait. Je fus même surpris que la DPJ n'ait pas encore envoyé les policiers reprendre l'enfant, ce qui se fait couramment dans de telles situations.

En les attendant, j'en profitai pour m'informer de la situation auprès de la superviseure du foyer. Elle m'assura qu'il y avait un malentendu. Selon elle, il était vrai que Andréa avait repoussé l'enfant, devenue trop envahissante depuis quelque temps, mais elle ne l'aurait jamais touchée, voyons, ce n'était là, pour eux, que des inventions de la petite.

Quand Ève arriva à mon bureau avec sa famille, ils étaient dans tous leurs états. La petite fille me permit de voir «ses bleus», un sur une fesse et deux autres sur l'avant-bras, comme des marques de doigts qui serrent. Pour le bras, elle me confirma en privé qu'il s'agissait bien d'une serrée parce qu'elle n'avait pas été gentille. «Je voulais coller Andréa parce que je l'aime, me disait Ève, et elle m'a repoussée en me prenant par le bras pour me sortir de la chambre». Plus tard, elle m'affirma que le bleu sur sa fesse provenait d'un coup de pied, lors d'une occasion similaire. «Elle m'a repoussée, raconta l'enfant, en me disant des mots méchants et en me donnant un coup sur les fesses». Je pris note de cette histoire et le père me jura qu'elle ne retournerait pas au foyer et qu'il porterait plainte à la police.

Quelques heures plus tard, un policier me téléphona pour me demander gentiment mon avis. Les policiers avaient reçu un appel du Centre jeunesse pour venir chercher cette enfant, mais ce que le père racontait les avait bouleversés. Je lui confirmai ce que j'avais observé et ce que l'enfant m'avait dit. Il me proposa alors de faire un signalement à la DPJ et d'essayer de retourner l'enfant dans un autre lieu que le centre, vu les circonstances. «Je n'ai pas le choix, me dit-il, je dois déplacer l'enfant.» Cependant, il voulait respecter Ève et ne pas la traumatiser davantage. J'étais d'accord avec lui et je le remerciai de sa compréhension et de son initiative.

Nous nous retrouvions dans une situation où les stress s'accumulaient et pesaient sur une jeune enfant malade que l'on continuait à harasser à cause d'un jeu d'adultes totalement incompétents ou complètement dénaturés. Qui avait raison, qui avait tort? Pour le moment, cela n'avait aucune importance, étant donné l'escalade des événements. L'enfant n'était certes pas en danger chez elle et sûrement moins que dans les mains du Centre jeunesse. Même le policier n'y comprenait rien, mais il avait eu le génie de signaler la DPJ contre elle-même. Dans ce cas, c'était la DPJ qui était soupçonnée d'abus! Dans le milieu, les policiers sont souvent nos alliés, car ils sont plus près des réalités des enfants. De plus, ils manifestent souvent un jugement plus nuancé que les intervenants en protection de l'enfant. Ces derniers sont souvent tellement loin de la vraie vie! D'où l'importance de s'associer davantage à des gens qui interviennent vraiment dans les milieux enseignants, policiers, groupes communautaires, médecins, etc.

Dans les semaines qui suivirent, on ramena Ève au centre d'accueil, faute de place ailleurs. On nous assura qu'Andréa n'aurait plus de contact avec l'enfant. On affirmait que le jugement devait suivre son cours et que la situation ne pourrait changer qu'à la suite d'une nouvelle audition en cour. Le père porta plainte et un jeune avocat entreprit des démarches pour accélérer le processus judiciaire, mais on apprit bientôt que Ève avait changé sa version des faits et qu'elle se serait infligée elle-même les blessures... La plainte ne pouvait donc pas être retenue.

Je n'ai pas revu cette enfant depuis plus de trois mois. Selon les versions officielles, elle se porte bien, beaucoup mieux depuis que les contacts avec les parents ont été complètement coupés... Désormais, c'est un médecin des centres jeunesse qui s'occupe d'elle. Elle n'a donc pas à se déplacer pour venir me voir. On doit les croire sur parole, n'est-ce pas?

Je pense souvent à toi, Ève. Que puis-je faire de plus?

Joé ou l'histoire d'une injustice...

▼

L'histoire de Joé est caractéristique d'un enfant ayant perdu son enfance parce que les services publics voulaient prétendument le « protéger ». Mais ces services furent incapables d'assurer les fondements nécessaires au développement de cet enfant. Joé part de loin, mais il n'arrive nulle part. Aujourd'hui, il a 20 ans et il se cherche toujours, sans savoir très bien ce qu'il cherche. On le déclara alternativement « fusionnel », suicidaire, *pusher* (revendeur), *pimp* (maquereau), voleur, *bouncer* (videur), consommateur et autres métiers encore moins reluisants.

Pourtant, Joé est sympathique et attachant. Je lui dis souvent que son fond est bon et j'y crois sincèrement. Lui-même veut bien y croire puisqu'il revient constamment m'entendre le lui dire et le lui répéter. J'ai confiance en lui, mais que lui arrivera-t-il dans cette société qui l'a si mal traité et qui, maintenant, lui demande de se conformer à la norme, malgré ses bases manquantes ?

Un jour, un éducateur avec qui je faisais mes premiers pas dans le quartier m'emmena en visite chez une dame qu'il suivait depuis quelques mois. Il voulait me la présenter et me demander un avis sur son bébé, une petite fille de 15 mois.

Il entra le premier, mais dès que la femme m'aperçut, elle me dévisagea d'un air méfiant et demanda à l'éducateur qui j'étais et pourquoi il m'emmenait ainsi, sans l'avertir au préalable. Lorsqu'il répondit que j'étais un ami et de surcroît un médecin pour enfants, elle s'empressa de m'emmener à l'étage voir son bébé. Elle était inquiète parce que l'enfant avait un écoulement du nez et une petite toux nocturne qui l'empêchait de dormir. Elle était visiblement très angoissée et même dans un état proche de la panique. Elle fut un peu rassurée quand je lui dis qu'il s'agissait d'une banale petite grippe et que cela allait passer rapidement et sans complication. Pourtant, quelque chose d'autre la tracassait. Mon collègue essayait maintenant de la calmer en lui disant de ne pas trop s'en faire et qu'il arrangerait tout ça.

En fait, elle était préoccupée par un signalement à la DPJ dont faisait l'objet son fils de 7 ans, Joé. Depuis longtemps, celui-ci se comportait de façon problématique à l'école et les choses ne s'arrangeaient pas. Pire encore, l'enfant s'absentait fréquemment de l'école et il arrivait en retard sans donner d'explications. On avait maintes fois avisé sa mère pour qu'elle améliore la situation, mais comme il ne se passait rien, on avait décidé d'appeler la DPJ. Une première intervention d'évaluation avait mal tourné, car la mère avait explosé devant les questions et les insinuations de l'intervenante, et elle l'avait expulsée de sa maison.

Tout avait commencé quand Joé était entré à l'école du quartier, à l'âge de 5 ans. L'enfant ne voulait de ce monde d'étrangers : il préférait, et de loin, rester chez sa mère ou plutôt avec elle, installé bien confortablement. Il avait tout ce qu'il voulait à la maison. Il était choyé par sa maman et sa grand-maman, ensemble ou alternativement, et toutes deux n'en avaient que pour cet enfant qu'elles aimaient « comme la prunelle de leurs yeux », disaient-elles. Le garçon avait sa chambre à lui et un téléviseur personnel. Il mangeait à volonté et on lui passait ses moindres caprices. « Pourquoi donc aller à l'école, se disait-il, pourquoi suivre les règles, entrer dans le rang et mourir d'ennui ? » Il recevait à la maison tout l'amour qu'il voulait. On se relayait auprès de lui pour lui offrir de la tendresse et de l'attention. Il était adoré.

Il faut dire que sa mère, Martine, arrivait de loin. Elle avait souffert et souffrait encore de problèmes médicaux mystérieux qui lui occasionnaient de violentes migraines, des faiblesses généralisées et des évanouissements fréquents. Il s'agissait d'un phénomène épileptique complexe. On l'avait souvent hospitalisée pendant plusieurs jours, mais on n'avait jamais trouvé la cause précise de ces maux bizarres. Son frère plus âgé était décédé à l'hôpital pour des raisons semblables sans qu'on explique vraiment sa maladie. Elle jurait qu'il s'agissait d'une maladie héréditaire dont son père avait également souffert. Pourtant, le mystère persistait toujours. C'est encore le cas aujourd'hui, malgré les événements troublants qui vont être relatés ici.

En plus de cette maladie, Martine avait eu sa part de difficultés. Des relations compliquées avec plusieurs hommes, des brisures multiples et des violences fréquentes, de part et d'autre, la laissaient aigrie. On s'en apercevait dès la première rencontre et, parfois, je la soupçonnais d'en remettre, à la fois pour faire encore plus peur à son entourage et pour se barricader dans son monde, se croyant ainsi plus à l'abri des blessures et des injustices.

Pour le moment, elle s'était fortement mobilisée pour affronter le service de la DPJ et protéger son fils. Elle n'allait pas se laisser faire et, déjà, elle fourbissait ses armes et se préparait au combat. On aurait dit Don Quichotte prêt à pourfendre ses ennemis. Lors de ma visite, je m'empressai d'accepter une tasse de son café instantané préféré, voyant que l'éducateur me signifiait qu'il ne fallait surtout pas refuser. Au cours de notre conversation, elle accepta que je me rende à l'école de son fils pour parler de son cas avec le personnel et que je rencontre l'enfant pour clarifier la situation.

Dès notre première rencontre, je fus séduit par Joé. On avait prévu un rendez-vous à l'école parce que la mère m'avait recommandé de le voir seul, au début. Elle allait informer le directeur et l'enfant, et je n'aurais qu'à me présenter. L'enfant m'attendait et me fit d'emblée un grand sourire. Il parla abondamment, répondit à toutes mes questions sans aucune inquiétude et m'expliqua qu'il avait beaucoup d'amis et que tout allait bien. Pourquoi n'allait-il pas à l'école certains jours? Il m'avoua candidement que ça ne le tentait pas et qu'il n'avait qu'à se plaindre un peu pour réussir à amadouer sa mère ou sa grand-mère. L'une ou l'autre finissait toujours par céder et le garder à la maison même si toutes deux se sentaient un peu coupables; mais c'était si bon de l'avoir près d'elles que leur culpabilité s'évanouissait.

Finalement, il me dit qu'il aimait un peu l'école, pour les amis et pour la récréation, mais que les cours l'embêtaient beaucoup et ne l'intéressaient pas du tout. Il préférait la chaleur et l'amour qu'il obtenait si facilement à la maison. Il me confia aussi qu'à l'occasion, il faisait exprès pour se faire chasser de la classe et de l'école, pour se débarrasser de cours ennuyeux ou de travaux qu'il jugeait inutiles. Je ne trouvai rien de bien méchant dans cette histoire, un enfant un peu manipulateur, parfois contrôlant, mais pas anxieux; un enfant peut-être un peu gâté par une mère amoureuse et par une grand-mère «bonbon», élevant seules ce précieux enfant.

Joé avait bien de petites difficultés d'apprentissage dont il faudrait surveiller l'évolution et un comportement encouragé par la famille qu'on ne devrait pas laisser s'installer ni se poursuivre à l'école. Il fallait éviter de nuire à son développement et à ses facultés d'apprentissage. Il faudrait apprivoiser davantage les deux «mamans», pour comprendre leurs motivations profondes et tenter progressivement de les soutenir vers un développement harmonieux de l'enfant. Cependant, les choses n'allaient pas être aussi simples et il faudrait plusieurs drames successifs et quelques années pour obtenir finalement les progrès souhaités. Malheureusement, il serait alors trop tard pour Joé.

Bientôt, les choses se gâtèrent. On avait réussi à inscrire la mère dans un groupe communautaire, à de petits ateliers d'aide à la parentalité, mais elle n'était pas prête pour des rencontres de groupe ni pour le partage d'émotions qui va avec ce type de rencontres. Elle avait un côté asocial et critique assez aigu qui faisait fuir même les plus résolus et qui la mettait en colère à la moindre occasion. La première fois, elle tint bon pendant vingt minutes, et la deuxième, elle claqua la porte dès le début de la rencontre alors qu'une autre mère lui demandait candidement quel était son problème. «Vous n'avez pas la bonne méthode, me dit-elle, et je ne veux plus rien savoir de ce type de "conneries et de mémérage"!»

Cependant, elle ne refusait pas une aide plus personnalisée, «mais pas avec n'importe qui», ajoutait-t-elle. Elle se fiait à nous pour trouver la bonne personne et elle acceptait nos visites de soutien chez elle, avec rendez-vous. Elle insistait cependant pour être avertie au préalable.

Notons que, dans certains milieux, le fait d'être reçu à domicile constitue une grande marque de confiance et une volonté réelle de changement, en particulier quand il s'agit de soutenir un enfant. Il s'agit en effet d'un privilège hors du commun qui permet d'entrer dans l'intimité des personnes et des familles, d'avoir accès à des secrets bien gardés et d'obtenir un rôle d'influence. Cependant, ce privilège ne se commande pas et ne doit jamais être imposé car il fausse la communication et constitue jusqu'à un certain point une sorte d'invasion du territoire intime, un manque de respect qui ne mène nulle part. Quand le privilège s'étend à la possibilité de faire des visites sans avertir et sans rendez-vous, comme si l'on était un ami de la famille, ou même « d'entrer par la porte d'en arrière sans frapper », comme me le proposa un jour un père, alors c'est que les gains sont encore plus grands. Chez Martine, qui était méfiante, ce grand privilège ne nous fut pas accordé tout de suite. Cependant, quelques mois plus tard, elle finit par nous l'offrir.

Nous avions présenté à la mère une travailleuse sociale qui agit en partenariat avec nous et qui est reconnue pour sa délicatesse et son efficacité. Nous lui avions mentionné que c'était une amie, qu'elle collaborait avec nous et qu'elle n'avait aucun lien avec la DPJ. Au début, Martine la trouva hautaine et trop chic dans sa tenue. Elle riait de son langage qu'elle trouvait un peu snob. C'était sa façon de tester ma patience et de vérifier ma propre opinion. J'en ris avec elle en lui promettant de tout dire à l'intervenante. Elle finit par m'avouer qu'elle avait aimé cette intervenante et qu'elle allait continuer à la voir. Un lien fut créé, avec des hauts et des bas, des périodes utiles et denses, mais aussi des moments difficiles de colères et de rejets. Après plus de quinze ans, cette relation dure encore et elle est toujours aussi utile. Lorsqu'un apprivoisement est bien fait et qu'il est possible d'offrir de la constance et de la persistance dans l'intervention et le soutien, les chances de succès sont en général bien meilleures. Il ne faut donc pas s'en priver.

L'intervention en était encore à ses balbutiements et à des amorces de changement, mais pour la mère, tout se passait encore sur le mode des intentions et non pas des vraies actions visibles et concrètes. À l'école, on ne voyait pas de grands changements. L'enfant arrivait encore en retard, il s'absentait souvent et faisait la loi en classe, surtout avec un enseignant qui ne réussissait pas à dominer la situation. On ciblait beaucoup Joé comme étant le responsable des perturbations en classe, mais il n'était pas le seul à avoir des difficultés de comportement.

C'était plutôt la somme de tous les problèmes de la classe, mêlée à une certaine incompétence de l'enseignant, qui provoquait une grande partie de la désorganisation. Joé était alors en fin de première année et, après plusieurs avertissements de l'école, on décida qu'on ne pouvait pas continuer à lui offrir des services. La suite était prévisible. Joé fut sacrifié ! On communiqua avec la DPJ et ce fut le début d'un long et terrible drame.

Après une enquête-évaluation bâclée, on décida qu'il fallait placer l'enfant immédiatement en centre d'accueil fermé. Quand la mère apprit qu'on l'avait dénoncée à la DPJ sans autre forme de procès, elle refusa de collaborer. Elle décida de garder son enfant à la maison et de fuir, si nécessaire, pour ne pas qu'ils l'attrapent. Son idée était faite : c'étaient des gens méchants qui en voulaient à son enfant et qui voulaient lui nuire. Elle tomba dans une grande paranoïa, en partie justifiée par la façon dont on avait procédé, en partie exagérée par son habitude d'être soumise et blessée par les services de toutes sortes. Elle en voulait à l'école, à la DPJ, et à tous les intervenants sans exception. Elle ferma complètement sa porte et n'accepta même plus de nous revoir pour tenter de la soutenir et d'éviter le pire. Or, devant un tel manque de collaboration, on porta la cause devant le tribunal et le juge ordonna de placer l'enfant pendant un an, l'obligeant, ainsi que sa mère, à suivre une thérapie.

Joé, sans comprendre pourquoi, se retrouva alors dans un isolement complet, de type carcéral. On lui avait donné une chambre sans décoration, uniquement meublée d'une petite table fixée au mur, d'un matelas sur pattes, et sans tiroir pour ranger ses affaires, de peur qu'il ne se blesse. Il n'avait droit à aucun objet personnel et devait se conformer à des règles strictes, sous peine d'isolement encore plus sévère. Il était piégé, coupé de ses liens habituels et isolé de son monde alors qu'il n'était coupable d'absolument rien. Il se sentait trahi par tous, en particulier par sa mère qui, pensait-il, l'avait abandonné sans raison après lui avoir offert tout l'amour qu'il désirait et plus encore.

Martine aussi se sentait trahie par tous et ne comprenait pas vraiment ce qui se passait. On l'accusait maintenant de «processus fusionnel» avec son enfant, ce qui, selon les experts, pouvait occasionner des difficultés chez l'enfant et expliquer les comportements qu'on lui reprochait. Selon les résultats de l'évaluation, une séparation prolongée s'avérait nécessaire pour protéger l'enfant. La mère sombra alors dans un état dépressif qui n'aida pas sa cause. Elle devint agressive envers tous les intervenants qui tentaient de l'approcher et de mettre en place des mesures d'aide.

On abandonna assez vite les efforts et on finit par conclure qu'on avait bien agi en séparant cet enfant de sa mère. On alla plus loin encore en les empêchant de prendre contact et de se rendre visite, cela comprenant aussi les lettres et les téléphones ! On jugea que ces contacts, même indirects, nuisaient à Joé puisqu'il en sortait chaque fois perturbé et plus difficile à contrôler par la suite.

Quelques semaines plus tard, la maman reprit contact avec moi. Elle me dit qu'elle n'avait confiance qu'en moi. Elle me suppliait de faire quelque chose et de voir son enfant en tant que pédiatre. Elle avait appris qu'il n'allait pas bien et elle s'inquiétait en plus de se morfondre d'ennui. J'essayai d'obtenir la permission de voir l'enfant au centre d'accueil, mais on me refusa le droit de visite, sous prétexte que tout allait bien et que, de toute façon, il y avait une infirmière de service qui n'hésiterait pas à me contacter, advenant un problème médical. La mère fit de nombreuses démarches, y compris engager un avocat, mais rien n'y fit. On continuait à interdire à Joé de recevoir des visites, même médicales. Je commençais à m'inquiéter, moi aussi.

Comment pouvait-on pénaliser ainsi un enfant de 7 ans? Comment osait-on le mettre à l'écart, loin de ses proches et sans lien affectif, avec des méthodes plus que douteuses, sans qu'il soit coupable de quoi que ce soit? On n'offrit d'ailleurs aucun service à l'enfant autre que disciplinaire, et jamais un psychologue ne fut dépêché auprès de lui! Grâce à certains contacts privilégiés et après plusieurs mois d'attente, je finis par obtenir l'autorisation officielle de voir l'enfant, à la condition que cela se passe au centre d'accueil.

Un matin, je me présentai dans ce centre où l'on m'attendait. Après les formalités d'usage, vérification d'identité, motifs de la visite et permis de conduire, les portes furent ouvertes et, placé sous escorte, on me conduisit auprès de l'enfant. On m'avertit alors que l'examen se ferait dans le bureau de l'infirmière de service et en présence d'un éducateur. J'acceptai l'infirmière, mais je refusai le surveillant pour des raisons d'éthique et de confidentialité. Je dus alors attendre plusieurs minutes, car il fallait consulter les supérieurs pour cette demande non prévue et non négociable. Visiblement irrité, sinon insulté, l'«éducateur» reçut l'ordre de nous ficher la paix. Il m'avisa alors que je n'avais que dix minutes et qu'il m'attendait à la porte pour ma propre sécurité. Je devais frapper s'il arrivait quelque chose ou si j'avais besoin d'aide. Je me serais cru en plein réseau de criminels endurcis et menaçants. Il s'agissait pourtant d'un petit enfant…

Je reconnus à peine Joé, mais il sembla très heureux de me voir. Au préalable, l'infirmière m'avait discrètement demandé de me parler à part, dès que l'éducateur aurait tourné le dos. Elle avait quelque chose d'important à me dire. Elle me confia alors qu'elle remplaçait de façon temporaire, depuis deux mois, mais qu'elle était témoin d'une situation pénible pour Joé. «Je ne suis pas d'accord, mais je ne peux pas parler», chuchota-t-elle. Elle me raconta alors qu'il allait souvent au «trou», pour diverses raisons souvent futiles. Regardait-il un éducateur un peu de travers ? On l'y envoyait. Osait-il remettre en cause des consignes, se plaindre de la nourriture ou négocier une heure de coucher plus tardive ? Même scénario. L'infirmière trouvait cela injuste et inacceptable pour un jeune de son âge, surtout qu'il y passait plus de la moitié de son temps. Le « trou », c'était une salle d'isolement sans mobilier, sans fenêtre, aux murs capiton- nés et à la porte munie d'une serrure électrique. On justifiait cette mesure en disant qu'elle était une occasion pour les plus récalcitrants de réfléchir, de se calmer et de se défouler sans danger. Dans le cas de Joé, on utilisait ce lieu pour le « casser ». Mais on n'allait pas y arriver.

Il avait grossi et me semblait triste à mourir. « Sors-moi de là, me dit-il, je n'en peux plus. Je vais me suicider… et puis, je m'ennuie de ma mère. Pourquoi ne me laissent-ils pas lui télé- phoner ? Je n'ai rien reçu d'elle depuis si longtemps ! »

Joé mangeait tout le temps. Il se gavait des repas qu'on lui servait et de ceux de ses voisins quand il le pouvait. C'était sa façon à lui de combler son ennui et de calmer sa colère qui montait de plus en plus dans son cœur, lui qui avait été si jovial et choyé toute sa vie. Il devait obéir à des étrangers, subir des punitions démesurées pour ses actes et ses attitudes, et suivre un code imposé, tout en composant avec une séparation bru- tale, non justifiée, inutile et cruelle. Il se trouvait dans un cul-de- sac. Il venait de me donner le mandat de l'aider à en sortir.

Je lui tendis un mot que sa mère avait griffonné en vitesse pour l'apaiser un peu et je lui recommandai de bien le cacher. Je réussis à compléter son examen dans le temps alloué. Il avait déjà pris 15 kilos et sa tension artérielle se situait dans les niveaux supérieurs. J'avais donc de bonnes raisons pour demander au centre de lui offrir une diète plus équilibrée et pour me porter à sa défense, à cause de son problème de boulimie. On me répondit qu'on en avait plein les bras et que, de toute façon, on ferait venir un psychiatre. J'exigeai de le revoir en suivi à ma clinique, mais on ne pouvait me répondre pour le moment, car le superviseur était absent.

De son côté, la mère entreprit des démarches juridiques avec un avocat qu'elle avait engagé et qui était très proactif. Celui-ci fit son possible pour faire bouger les choses, mais les événements ne se passèrent pas comme prévu. Joé dut rester en centre fermé. L'avocat en question continua quand même à soutenir la mère et, à ce jour, il est resté « un ami de la famille », en grande partie à cause des événements qui allaient survenir dans les mois suivants.

Une événement particulier porta ombrage au processus qu'il avait entamé pour sortir Joé de là : sa mère était alors accablée par une poursuite criminelle. Dans sa grande colère, elle avait proféré des menaces de mort envers les intervenants venus lui prendre son enfant. On avait donc retenu contre elle des charges de « menaces de mort » et le procès avait lieu à peu près à cette époque en cour criminelle. Cela mobilisa la mère, bien sûr, ainsi que l'avocat. Moi-même, je fus appelé à témoigner pour expliquer les paroles violentes de la mère, mais aussi l'état de détresse dans lequel on l'avait plongée sans pitié, la laissant démunie. Cela déplaça temporairement l'intérêt porté au cas de Joé.

Les pauvres gens, « nés pour un petit pain », sont souvent pris dans les dédales de lois et de services dont ils ne comprennent pas nécessairement le sens, qui les dépassent et dont ils ne se sentent pas partie prenante. Il y a bien les avocats, mais leurs services coûtent cher, et eux aussi parlent souvent un langage inaccessible. Ils viennent d'un autre monde. Certes, ce n'est pas bien de faire des menaces, c'est même un geste criminel, mais il faut tenir compte du contexte, des éléments de provocation, des douleurs infligées et du simple fait de se faire arracher son enfant, alors qu'on n'est coupable de rien… Il faut bien prendre cela en considération.

Plusieurs parents ont dû vivre ce type de situation et ont fréquemment en bouche des mots durs pour se défendre et pour protester parce que c'est souvent la seule façon qu'ils connaissent de provoquer l'écoute. En général, il n'y a aucune mauvaise intention dans ces paroles, même si elles sont agressives, et il n'y a surtout pas matière à en remettre sur le dos de ces pauvres gens. Les mots durs sont plutôt l'expression de leur incompréhension et de leur douleur. L'escalade ne sert alors qu'à les mettre encore plus au pied du mur. Encore une fois, tout cela se fait sur le dos des enfants. Ce n'est certes pas en agissant ainsi qu'on veille au bien-être de ces petits. Dans le cas de Joé, la mère s'en tira avec une réprimande, car le juge comprit très bien la situation et lui fit simplement promettre de ne pas récidiver, sous peine d'être plus sévère.

Joé resta quand même au centre encore quelques mois, car il fallait attendre une nouvelle audition en cour et on refusait de la devancer puisqu'il avait été décidé au départ que le placement durerait un an avant d'être révisé. Deux mois plus tard, je revis l'enfant dans mon bureau du CLSC pour une visite de contrôle. Il était alors accompagné d'un nouvel éducateur qui se leva pour venir avec nous quand j'allai chercher l'enfant dans la salle d'attente. Je lui signifiai alors que je souhaitais rester seul avec mon patient et l'infirmière, mais que je ne manquerais pas de l'appeler si j'avais besoin de lui pour obtenir des renseignements. Il s'en trouva vexé et m'affirma qu'il avait reçu l'ordre d'accompagner constamment le jeune et, selon son interprétation, même dans le bureau du médecin. Devant mon refus, il demanda à appeler son superviseur qui n'était pas disponible. Je lui répétai que je verrais l'enfant sans lui, qu'il devait attendre et que j'en prenais toute la responsabilité. Ce qui fut fait.

Joé savourait ce moment de liberté et il allait encore me confier tant de peines que je ne peux pas toutes les rapporter.

Il passait d'une chose à l'autre; il me décrivait sa chambre dénudée et les repas infects, et tout de suite après il se défoulait contre les surveillants arrogants et les autres enfants violents. Il me demandait des nouvelles de sa mère et de sa grand-mère, m'indiquant qu'il les plaignait de se trouver ainsi dans l'attente. Il se demandait quels crimes elles avaient pu commettre pour que l'on sépare la famille de façon aussi brutale. Il voulait également savoir pourquoi on le punissait, lui, en l'empêchant de voir les personnes qu'il aimait le plus au monde.

Il avait encore pris quelques kilos et s'essoufflait rapidement. Lui, l'actif et le sportif d'antan, il ne faisait plus rien. On l'autorisait bien quelquefois à sortir dans la cour clôturée du centre, mais il ne pouvait pratiquer aucun sport et, d'ailleurs, cela ne l'aurait pas intéressé. Quand les jeunes sortaient, c'était plus pour fumer que pour bouger. Il m'avoua qu'il fumait maintenant. Il réussissait à gagner des cigarettes auprès des plus vieux qui étaient autorisés à fumer en échange de petits services dont il ne voulut pas me parler. Il avait juré! Il se gavait de télévision et de bouffe, et cela l'aidait à passer le temps… et à s'enliser. On ne lui avait pas encore offert de scolarisation et, par conséquent, il passait le plus clair de son temps enfermé et inoccupé, ce qui contribuait de toute évidence à le rendre obèse.

Selon ma lecture des événements, en tant que médecin de l'enfant, je considère qu'on lui faisait exactement l'inverse de ce que notre service de protection de l'enfance aurait dû lui offrir. Sous prétexte de l'isoler de l'influence théoriquement néfaste de son milieu, on compromettait sérieusement sa santé physique et mentale, de même que ses facultés d'apprentissage. On l'handicapait pour la vie! J'en parlai à l'avocat, en lui suggérant de miser sur cette carte lors de la prochaine audition devant un juge, et aussi pour faire des pressions sur la DPJ afin que cesse cette situation aberrante. Cet enfant avait besoin de soins plus adéquats et d'un milieu plus approprié.

Il fut donc transféré, quelque temps plus tard, dans un centre de jour. Il s'agissait encore d'un milieu encadré, mais beaucoup plus souple. Les enfants qui étaient ensemble jouissaient d'une certaine liberté, à la condition de se conformer à des règles de base. Ainsi, Joé pouvait s'inscrire à des activités sportives et même fréquenter une école, donc mener une vie un peu plus saine et normale. On l'autorisait maintenant à recevoir des appels téléphoniques de sa famille, deux fois par semaine, mais par contre, on continuait de lui refuser de rencontrer les siens en personne. Nous avions donc un premier gain non négligeable, mais on ne nous donnait encore aucune raison sérieuse pour ne pas reprendre les visites à la famille. « L'évaluation suit son cours », nous disait-on.

Pendant quelque temps, Joé sembla prendre du mieux. Il redevenait plus joyeux et perdit même deux bons kilos en quelques semaines. Il disait avoir de nouveaux amis et les éducateurs ne lui faisaient pas de gros problèmes. Ils sont « cools », me dit-il lors d'une visite. Il y eut quelques petits événements inquiétants, des petits retards pour entrer au centre, une brève escapade non permise avec une fille, un vol de quelques dollars dont on l'accusait sans preuve, disait-il, mais, en général, tout allait bien compte tenu des circonstances.

La date de l'audition arrivait à grands pas et nous ne savions pas encore ce que la DPJ nous réservait comme argument pour empêcher le retour à la maison. Nous n'allions pas tarder à le savoir.

Tout se passa très vite. Je fus appelé par la famille, comme témoin expert, pendant que la DPJ produisait des témoins à charge faisant état des difficultés de la mère, en particulier de sa violence et de son agressivité, comme les intervenants l'avaient démontré, bien qu'elle n'aie jamais usé de violence envers son enfant. Un psychiatre engagé par la DPJ demanda à me rencontrer avant l'audition en présence de l'avocat de la famille pour nous faire part de son évaluation de la mère et pour nous expliquer qu'à la lecture de son dossier et de ses rencontres avec elle (elle avait tout fait pour boycotter cette évaluation, par exemple en lui répondant n'importe quoi), il faisait l'hypothèse d'un gros trouble d'attachement avec des éléments fusionnels. Il nous indiquait, par le fait même, qu'il allait recommander au juge d'éviter tout retour à la mère et même tout contact. Par la suite, j'essayai de faire valoir que dans l'état actuel des choses, cela équivalait à condamner la mère et l'enfant, et je le mis en garde contre l'éventualité de conséquences désastreuses, advenant une telle décision.

Je savais la mère impulsive et désespérée. Je savais le fils installé de plus en plus sur une trajectoire déviante, sous l'influence de la colère et des mauvaises rencontres faites au centre. J'étais assuré que cette orientation allait conduire Joé à la toxicomanie ou à la délinquance, et peut-être même au suicide. Il fallait trouver autre chose que de garder l'enfant en placement fermé et de laisser la mère loin de son fils unique. On ne sépare pas ainsi les êtres qui s'aiment et, en particulier, un enfant coupable de rien. Si l'opinion du psychiatre s'avérait juste, ce dont je doutais beaucoup, on devait de toute urgence travailler avec eux la relation, les aider à recréer un attachement plus sûr et à contrôler les excès, mais sans les séparer. J'en fis part aux intervenants, sans succès.

Le placement en centre fut maintenu et les contacts ne devaient reprendre que quand la situation serait devenue plus stable et que la mère aurait subi une thérapie prouvant qu'elle pouvait prendre en charge son enfant sans danger. Pour l'enfant, rien d'autre ne fut proposé que cette forme d'incarcération latente. Blessé davantage, il se mit à fuguer et, à deux ou trois reprises, la police le retrouva dans un parc ou chez des « squatteurs ». On le retournait alors en milieu plus fermé et, ainsi, je perdis contact avec lui. Pendant près de deux ans, je perdis aussi la trace de la mère. Elle avait déménagé sans laisser d'adresse.

En fait, quelques semaines après ces événements, l'avocat de Martine communiqua avec moi pour m'annoncer qu'on venait de trouver la petite sœur de Joé, toute « bleue » dans son lit. On avait appelé l'ambulance, mais à cause des embouteillages liés à des feux d'artifice, les services d'urgence étaient arrivés trop tard. L'enfant était décédée. La police s'en était mêlée, la presse aussi, et on retrouvait dans le *Journal de Montréal* des photos dramatiques montrant la mère éplorée dans la rue, devant chez elle, avec les policiers qui tentaient de la calmer. On institua une enquête et on pratiqua une autopsie, ce qui est obligatoire lors d'un décès à domicile.

Quelques heures plus tard, je rencontrai Martine. Elle était effondrée et pensait ne pas s'en sortir. Ce fut pour elle un deuil terrible et prolongé, qui dure encore aujourd'hui d'ailleurs. Les choses se compliquèrent encore, car la DPJ n'entendait pas laisser ce dossier clos. Compte tenu des antécédents de la mère, on jugea ce décès suspect et on prolongea l'enquête. Ce furent une succession de questionnaires pour la mère, pour l'entourage et les voisins ; on déterra de vieux dossiers médicaux et psychiatriques de la mère et de la grand-mère, et on finit par laisser planer un doute sérieux sur la culpabilité de la mère, à cause de ce décès soudain et sans cause apparente.

Or, l'enquête ne révéla rien de précis et l'autopsie ne révéla aucun signe de sévices ou de strangulation. Rien du tout, sauf une petite anomalie cérébrale, inconnue jusqu'alors, et qui n'avait jamais causé de problème à l'enfant. Était-ce la cause du décès puisque rien d'autre n'apparaissait ? Pour plusieurs, le doute envers la mère persistait et jamais ils ne lui témoignèrent la moindre sympathie ; ils ne lui accordèrent jamais le moindre bénéfice du doute. Pourtant, elle avait toujours clamé qu'il y avait dans sa famille une maladie bizarre qui l'avait elle-même conduite à l'hôpital en bas âge, avec des convulsions et des spasmes musculaires. Cette maladie, selon elle, avait également causé la mort de son frère lors d'une hospitalisation qui avait eu lieu en même temps que la sienne. Personne n'y porta vraiment attention et, bien sûr, aucune accusation ne fut portée. On laissa simplement planer le doute.

Je fis venir les dossiers médicaux de toute la famille. On avait déjà consulté des spécialistes, entre autres des neurologues, qui tous s'étaient posés des questions sur l'origine des convulsions et des spasmes. Cependant, ils n'avaient rien trouvé de concluant. On avait mis cette femme sous médication anticonvulsivante pendant plusieurs années, mais elle disait continuer à souffrir de pertes de conscience et de spasmes.

Un jour, je reçus un appel de la grand-mère qui me demandait une faveur. C'était un vendredi soir de printemps, deux ans après le décès de la petite fille. À ma grande surprise, elle m'invitait à rencontrer Joé pour lui faire un examen et pour lui parler, selon son souhait. Depuis deux jours, il s'était enfui du centre et il était recherché. Le garçon avait réussi à obtenir l'adresse de sa grand-mère et il venait s'y réfugier pour s'y faire dorloter un peu. Elle refusa de me donner l'adresse exacte et me dit qu'elle allait m'attendre à huit heures au coin des boulevards Saint-Joseph et Saint-Michel et, de là, se rendre chez elle, si nous n'étions pas suivis. Elle me fit jurer de n'en rien dire.

J'arrivai à l'heure et, quelques minutes plus tard, un homme que je ne connaissais pas m'aborda par mon nom et se présenta comme un ami de la grand-mère. Je le suivis dans une rue parallèle où je fus accueilli par la grand-mère et la mère, toutes deux radieuses. Elles me conduisirent à Joé dans une chambre au fond de l'appartement. Comme il avait changé ! Comme il avait grandi et grossi ! Il avait l'air d'un homme maintenant, même s'il n'avait que 12 ou 13 ans. Il m'apparaissait aussi très anxieux et inquiet. D'ailleurs, il me fit part de son désarroi et m'avoua ses excès. Il consommait de la bière et du «pot» qu'il trouvait facilement par l'entremise de jeunes du centre. Il m'avoua plusieurs petits délits commis lors de ses sorties. Il me dit que ce n'était pas une vie, qu'il s'ennuyait à mourir et qu'il se défoulait ainsi. «Je n'ai rien d'autre à faire, docteur Julien!»

Il aurait pu fréquenter une école et il l'avait fait pendant quelque temps, mais il me dit que personne n'était intéressé dans cette classe spéciale, même pas le professeur. Maintenant, il s'absentait un jour sur deux et on ne l'embêtait pas pour autant. Pour ce qui est du soutien psychologique, quelques éducateurs s'étaient bien intéressés à sa situation, mais sans plus. Et de toute façon, ils changeaient constamment d'affectation. De plus, il ne leur est habituellement pas permis de trop s'approcher d'un jeune. Joé n'avait pas vu de psychologue, mais on l'avait emmené une fois chez un psychiatre qui, disait-il, parlait tout seul, faisait de longs silences et avait fini par le congédier au bout d'une heure. L'enfant n'avait jamais voulu y retourner.

Joé était de ces jeunes perspicaces à l'intelligence vive qui a hérité d'une puissante capacité d'analyse. Il avait en lui toutes les capacités requises pour réussir, mais en plus il avait un grand cœur et une sensibilité même si, à cette époque, il essayait de la dissimuler sous des extérieurs de dur à cuire, ce qui d'ailleurs persista jusqu'à sa vingtaine.

Plus tard — Joé avait 19 ans — il me manqua un père Noël pour une fête que j'organisais à l'intention des enfants. Je lui demandai de jouer ce rôle pour nous. Ses yeux s'illuminèrent alors et il me dit: «Es-tu sérieux, doc Julien, moi, un père Noël pour des petits enfants?»

Le soir de l'événement, il se présenta à l'heure, en sueurs, angoissé à l'extrême. Il se demandait comment faire et comment les enfants le traiteraient, et il s'inquiétait de savoir s'il serait à la hauteur. Il enfila patiemment le costume et les longues bottes noires, colla la grosse barbe blanche et se maquilla. Je le surpris même à pratiquer le gros rire du père Noël afin de bien jouer son personnage. Il passa la journée entière à distribuer des cadeaux et à recevoir les confidences des enfants, assisté de sa fée préférée, sa véritable amie de cœur. Il passa de longs moments à se faire photographier avec des enfants qui allaient en garder un souvenir inoubliable. Il refusa même de s'arrêter pour le lunch et me confia qu'il adorait ce rôle. Ce fut une des plus belles journées de sa vie et nous en gardons de nombreux souvenirs en photos. De son côté, Joé garde en son cœur ces moments inoubliables et structurants.

Les enfants, les jeunes et même les adultes sont faits d'expériences variées, de multiples sensations et de divers instants de bonheur. Et cela est vrai même quand ils vivent dans des milieux à risque ou dans des situations désastreuses. C'est notre côté humain qui nous rend tous égaux. Dans un certain sens, cela représente la vraie justice humaine, au-delà de toute contingence matérielle et de tous les pouvoirs de ce monde. Nul n'est privé de ces petits bonheurs gratuits qui structurent une personne et qui créent les relais nécessaires à la survie et au bonheur. Joé, malgré toutes ses douleurs, goûtait lui aussi à ces morceaux de vie chargés d'espoir et rassurants pour son avenir.

Quant à Martine, elle allait bien et me semblait comblée de retrouver son fils, même dans ces circonstances plutôt illégales. Les policiers le recherchaient et ils m'avaient appelé la journée précédente pour savoir si j'avais connaissance de ses déplacements. Je ne savais rien alors. Depuis quelques semaines, Martine avait fait la connaissance d'un homme d'origine arabe, elle était amoureuse et souhaitait aller habiter avec lui pour fonder une nouvelle famille. Elle en avait parlé à Joé qui trouvait l'idée bonne et qui lui affirma qu'il était temps qu'elle vive enfin des périodes heureuses. Elle avait en quelque sorte besoin de cette autorisation.

Joé fut repris quelques jours plus tard en tentant de reprendre contact avec ses amis de la rue. On l'incarcéra de nouveau en centre fermé, et pour un bon bout de temps. Entre temps, sa mère aménagea avec son nouveau conjoint dans le quartier et elle ne tarda pas à devenir enceinte à nouveau, mais cette fois de jumeaux. Elle eut une grossesse facile et elle accepta un suivi serré d'une infirmière et de la travailleuse sociale du CLSC avec qui elle gardait de bons liens. Elle disait souvent qu'il n'y avait que trois personnes en qui elle avait confiance dans la vie (en dehors de sa famille immédiate), son docteur Julien, son avocat et sa travailleuse sociale. Non pas qu'elle était toujours en confiance, car elle passait de longs moments sans nous voir et nous goûtions chacun notre tour à ses périodes négatives. Dans ces circonstances, nous devenions, à tour de rôle, des méchants, des incompétents ou des «pareils au système».

L'accouchement se fit en douceur et je trouvai inquiétant que son conjoint ne s'y présente pas. Elle m'assura que tout allait bien et qu'il était en voyage d'affaires. C'est pourquoi il ne pouvait pas être présent. Les premiers mois se passèrent sans difficulté, les enfants évoluant bien, tant en ce qui concerne leur santé et leur développement. Je les suivais assidûment.

Par contre, je voyais l'état de la mère se détériorer. Elle devenait pâle, mangeait peu et semblait déprimée. Lorsque j'insistai pour savoir ce qui se passait, elle finit par m'avouer que la relation avec son compagnon n'allait pas du tout. Il consommait de grandes quantités d'alcool, il était violent avec elle, il ne l'aidait pas avec les enfants et ne s'intéressait plus à sa famille. Elle le disait dépressif. Il avait des difficultés avec l'immigration et pensait retourner dans son pays. Elle ne savait pas quoi faire et elle passait beaucoup de temps hors de la maison pour ne pas subir ses colères et ses agressions. Habituellement, elle amenait les jumeaux avec elle, mais, une fois, elle les laissa avec leur père pour aller faire l'épicerie. Ce fut une fois de trop.

Quand elle revint, deux heures plus tard, les bras chargés de victuailles, elle se trouva devant une vision cauchemardesque. Les deux jumeaux pleuraient depuis un bon moment, en panique. Ils montraient du doigt leur père avec un regard complètement apeuré. Celui-ci pendait au bout d'une corde fabriquée avec des draps, une chaise basculée à ses pieds. Les petits avaient 2 1/2 ans et ils acceptèrent de mimer les événements à leur mère. Il semble que le père, qui était alors en état d'ébriété, avait demandé aux enfants de tirer la chaise. Ils avaient obéi. Quand je les vis quelques heures plus tard, ils mimèrent pour moi aussi cet affreux scénario.

Un autre drame se jouait dans la vie de cette femme déjà si éprouvée. Joé n'obtint même pas le droit de sortir du centre pour les funérailles puisqu'il ne s'agissait pas d'un parent à lui et parce qu'on essayait de couper ses liens avec sa famille. On n'acceptait donc pas qu'il partage un peu de la douleur de sa mère et de ses frères. Encore une fois, c'était «pour sa protection», disaient-ils. Il ne fait pas de doute que ces gens-là savent s'y prendre mieux que quiconque pour protéger un enfant.

Martine restait seule avec ses deux jumeaux et elle trouva quand même assez d'énergie pour bien s'en occuper. Les parents du père, au Maroc, avaient appris le décès de leur fils et souhaitaient voir leurs petits-enfants. Ils firent des pressions auprès de la mère qu'ils ne connaissaient d'ailleurs pas, mais elle refusa de répondre à leur invitation et de se rendre dans leur pays de crainte qu'ils lui enlèvent ses petits. Elle coupa définitivement les ponts avec ces gens qu'elle ne connaissait pas. Elle se consacra entièrement à ses enfants qui évoluaient à merveille. Un dimanche matin, au moment où j'effectuais une petite visite à la clinique, elle passa dans la rue et nous montra fièrement ses deux enfants. L'un avait une grippe et je l'examinai sans rien y voir d'anormal. Le lendemain matin, elle trouva l'enfant mort dans son lit.

La mort s'acharnait sur Martine. Elle vivait maintenant un troisième deuil, difficile et sans raison apparente. Encore un drame, les journaux, la télévision et la DPJ pensaient cette fois avoir sa peau. On la trouva immédiatement coupable, une voisine voulant se venger d'elle la présenta comme une mauvaise mère et les médecins de la DPJ émirent des hypothèses dignes de romans policiers. On lui enleva aussitôt son dernier enfant de peur qu'il ne lui arrive la même chose qu'aux deux autres et l'enquête commença. Encore une fois, on ne trouva rien, ni à l'autopsie ni à l'enquête, rien qui pouvait suggérer l'hypothèse d'un meurtre, parce que d'emblée c'est ce qu'on avait pensé bien qu'il n'y ait eu aucune trace de poison, de strangulation ou de quoi que ce soit pour incriminer cette femme. Elle se réfugia chez sa propre mère et décida de se battre pour ravoir son enfant. Elle fit appel à ses trois personnes de confiance pour faire valoir ses droits et cela l'aida à faire momentanément son deuil.

Les deuils sont des phénomènes complexes et les morts violentes hantent longtemps l'entourage. Lorsque, dans les premiers temps, les gens endeuillés réussissent à se trouver une cause ou un cheval de bataille, ils semblent se porter mieux pendant un certain temps et ils donnent l'impression de posséder une grande force de caractère. Cependant, le deuil a tôt fait de les rattraper et ils sont eux-mêmes étonnés de leur vulnérabilité quand cela se produit, quelques mois ou quelques années plus tard. Il en fut ainsi pour Martine. Même maintenant, des années plus tard, le moindre indice propre à lui rappeler ces événements atroces la rend instantanément triste et effondrée.

Un jour, je lui offris des fleurs pour son anniversaire et elle en fut bouleversée. «Ne fais plus jamais ça, me dit-elle, ça me rappelle trop le salon mortuaire»! Les dates anniversaires sont aussi pour elle des moments intenables. Elle les appréhende des semaines à l'avance, on la sent alors bouleversée. Le jour même, elle ne sort pas, ne répond pas au téléphone et garde sa porte et ses rideaux clos. Puis, pendant quelques semaines encore, elle est fragile et irritable.

À l'anniversaire du dernier décès, qui se trouvait bien sûr être l'anniversaire de naissance du survivant, j'essayai un scénario nouveau de connivence avec ce dernier. Nous avions organisé dans notre Centre une petite fête anniversaire à laquelle la mère avait accepté exceptionnellement de participer. Nous avions préparé d'avance des ballons soufflés à l'hélium qui portaient des inscriptions à l'intention du jumeau décédé. «Nous t'aimons» ou «nous pensons à toi, au ciel», etc. Lorsque vint le temps de les laisser s'envoler, la mère versa quelques larmes, mais comme son enfant s'en réjouissait, elle fit un petit sourire, trouva l'idée bonne et fit d'elle-même quelques nouvelles inscriptions destinés à son enfant, là-haut, dans le ciel. Elle nous remercia de cette initiative et nous nous fîmes la promesse de la répéter chaque année.

De retour devant le tribunal, le juge acquiesça cette fois à la demande de la mère et lui retourna l'enfant le jour même-jugeant que, sans preuve, il n'y avait pas lieu de pénaliser cette pauvre mère. Les accusations gratuites ne cessèrent pas pour autant. Il y eut de longs débats. Je fus même invité à une rencontre qui réunissait une quinzaine de personnes discutant d'hypothèses de culpabilité; trois pathologistes, des enquêteurs, des médecins spécialistes, des avocats… Les pathologistes avaient beau répéter qu'ils ne trouvaient rien même après de multiples études, on s'acharnait à rendre la mère coupable et on n'envisageait aucune autre explication. À un certain moment, je fis remarquer que, dans les circonstances, s'il y avait un doute de culpabilité, il y avait également un doute de non-culpabilité. Peut-être étions-nous devant un mystère médical non résolu? Cette hypothèse valait tout autant que n'importe quelle autre. À la suite de ce commentaire, un des pathologistes suggéra de faire voir les lames histologiques par des laboratoires ultra-spécialisés se trouvant l'un à New York, l'autre à Paris. J'étais d'avis de tout tenter pour trouver une explication scientifique et j'ajoutai que cela préviendrait peut-être de nouveaux décès. On se rallia à l'idée et on demanda les tests. La DPJ et les enquêteurs se réservaient le droit de protéger l'enfant vivant.

De fait, peu de temps après, un nouveau signalement fut fait à la DPJ, suivi d'une convocation au tribunal pour placer à nouveau l'enfant, Sébastien, parce qu'on disait que sa sécurité était compromise. On en remettait. Le jour de l'audience, je fus encore une fois appelé comme témoin expert et j'expliquai au juge l'état des choses. Je lui fis part des hypothèses du « mystère médical » dont il avait été question et de l'expertise histopathologique dont nous attendions toujours les résultats. Or, juste avant d'entrer dans la salle du tribunal, j'avais reçu un appel de mon bureau me faisant part de la visite d'un policier communautaire avec qui nous travaillons en partenariat et qui se demandait pourquoi on lui avait demandé de surveiller la maison de Martine, au cas où elle se sauverait avec l'enfant ! Ce policier me savait engagé auprès de cette famille et c'était la première fois qu'on lui demandait une telle chose. Sa question était pertinente et justifiée.

De fait, les gens de la DPJ étaient tellement convaincus que la cour allait leur ordonner de reprendre l'enfant qu'ils avaient appréhendé une réaction de la mère ou de la grand-mère. Ils voulaient maintenant s'assurer que ces deux femmes ne s'enfuiraient pas avec l'enfant. Je leur rappelai que nous étions justement devant un juge et que c'était à lui de décider du sort de l'enfant. C'était d'une indécence totale de mobiliser la police dans de telles circonstances. Le juge décida, encore une fois, que l'enfant n'était pas en danger avec sa mère et recommanda aux parties d'attendre les conclusions de l'expertise médicale.

Celle-ci arriva de Paris deux mois plus tard. À l'étude des coupes histologiques du muscle cardiaque de l'enfant, on avait trouvé des anomalies suggérant un syndrome rare, un trouble de conduction pouvant occasionner un brusque arrêt cardiaque. L'hypothèse farfelue d'un mystère médical venait d'être confirmée et la non-culpabilité de la mère fut alors enfin reconnue. On respira tous d'aise et l'affaire fut conclue.

Peu de temps après, Martine se retrouva de nouveau enceinte et, plus que tout, elle souhaitait recommencer une vie normale. Le bébé, Carlos, vint au monde en parfaite santé et je m'occupai de le suivre chaque semaine pour m'assurer que tout allait pour le mieux et, au besoin, pour affirmer haut et fort la compétence de cette mère. Le jumeau vivant se portait lui aussi à merveille, mais je décidai, à la demande de la mère, de procéder à des examens approfondis chez les deux enfants pour nous assurer qu'ils n'étaient pas porteurs de cette maladie fatale. Tous les tests s'avérèrent négatifs, mais Martine n'était pas complètement convaincue.

À ce jour, le jumeau a atteint ses 7 ans et il se porte merveilleusement bien. C'est un enfant intelligent, vif, adorable. Les attentes de la mère sont grandes et parfois excessives. Carlos a maintenant 4 ans et son plus grand souhait, c'est de devenir le docteur Carlos, pour faire comme moi et même mieux que moi, dit-il. Souvent, il arrive dans mon bureau, subitement, il s'assoit à la table et fait mine de dessiner même quand je suis en entrevue clinique avec d'autres personnes. Il devient alors intraitable et refuse de partir. Une fois, un enfant en grande détresse se trouvait dans mon bureau en même temps que Carlos. Cet enfant vivait une colère intense et il alla jusqu'à m'insulter et m'envoyer promener en disant : « T'es un con et je veux rien savoir de toi ! ». Carlos, insulté, répondit du tac au tac à l'enfant avec un air menaçant : « Ne parle pas comme ça au docteur Julien, c'est mon docteur ». Il ne fait pas l'ombre d'un doute qu'il deviendra un jour mon remplaçant.

Joé, lui, est finalement sorti de l'emprise des centres jeunesse. À 18 ans, on cessa tout service. Subitement, il devenait libre et on ne lui offrait rien pour le guider, après des années de contrôle et d'isolement. Il pouvait faire ce qui lui plaisait, aller où bon lui semblait, mais il était loin d'être prêt. Comme prévu, il retourna dans la rue et retrouva ses copains. Il se mit à prendre des drogues de plus en plus dures qu'il devait payer de plus en plus cher. Il vola un peu, mais les recettes ne suffisant pas, il devint *pimp*. Il se mit à recruter des jeunes filles pour faire la «passe». Il prenait une cote assez généreuse, en échange de ses services d'entremetteur et de protecteur. En même temps, il *dealait* pour les filles et pour leurs clients, ce qui lui permettait de mener une vie de pacha. Pourtant, les choses allaient bientôt tourner mal.

Il m'arriva un jour paniqué car un de ses copains venait de se faire tirer dans les jambes tandis qu'ils se dirigeaient vers le métro. Joé portait des vêtements chers et il avait un air dangereux, surtout à cause de sa forte corpulence et de sa tête rasée. Il était assez impressionnant. Pourtant, il avait peur et craignait de mourir, pensant que la prochaine fois, ce serait sûrement son tour. Je ne pouvais que sympathiser avec lui sans essayer de lui faire la morale car cela aurait été inutile. Je lui dis simplement que s'il mourait, j'en aurais beaucoup de peine. En attendant, quand il serait prêt, je pourrais l'aider. Il repartit en me remerciant !

Il revint une autre fois avec sa blonde de 15 ans qui n'allait pas bien et qui l'inquiétait. Elle était enceinte et je ne fus pas surpris de l'entendre me dire qu'il voulait le bébé. Je l'informai qu'il sortait avec une enfant et qu'il n'était certes pas prêt à avoir un bébé. Sa petite amie sauta sur l'occasion et me demanda de la référer, car elle, elle ne souhaitait pas garder l'enfant. Il ne s'y opposa pas.

Une autre fois encore, sa mère me téléphona, me suppliant de rencontrer Joé de toute urgence. Il était paniqué, mais cette fois c'est de lui dont il était question. Il avait consommé un mélange explosif et inconnu. Il en était malade depuis trois jours. Il vomissait et « chiait » du sang, et il était convaincu que c'était sa fin. Je ne le plaignis pas et lui dit que s'il voulait vraiment se détruire, je n'y pouvais rien. Il mourrait pour sûr, assassiné ou au bout de son sang, mais comme c'était son choix, je le respectais. Je ne pouvais m'empêcher de penser que non, ce n'était pas son choix, et qu'il avait bel et bien suivi mes plus sombres prédictions. En fait, il était un sous-produit typique des placements à long terme effectués sans raison. Je lui dis que je l'aiderais le jour où il se remettrait en piste et pas avant. Il finit par comprendre, parce qu'il est intelligent et sensible. Et, heureusement, il n'était pas trop tard.

Aujourd'hui, il m'a apporté une photo de lui avec son petit frère Carlos. Ce sont des copies conformes et Joey en est très fier. Lui aussi, il est convaincu que son petit frère sera médecin un jour. D'ailleurs, il fera tout pour l'aider à y arriver. De son côté, il cherche un travail pour se prendre en main et se payer un appartement. Il habite chez sa grand-mère, mais il est très près de sa mère qu'il souhaite rendre heureuse en lui donnant l'occasion d'être fier de lui. Sa trajectoire a changé de justesse. À 18 ans, il était temps. Maintenant, grâce à ses ressources personnelles, il devrait réussir.

Sandra, le garçon manqué

▼

La seule et unique raison à l'origine de ma première rencontre avec Sandra fut l'exaspération de tous ceux qui la côtoyaient. Sandra n'avait que 4 ans, mais elle provoquait déjà tout son entourage par son comportement et elle semblait n'avoir que des ennemis. Il m'a fallu un bout de temps avant de comprendre également qu'elle n'avait personne pour prendre soin d'elle, encore moins pour l'aimer. Sans le savoir, nous allions entreprendre ensemble un long apprivoisement qui, aujourd'hui, commence à peine à se réaliser.

Je n'obtins pas trop d'indices sur ses quatre premières années de vie... Pauvre enfant, avait-elle existé pendant cette période ? Maintenant, je crois que non. Elle n'avait que survécu ! Ce n'est que beaucoup plus tard qu'elle allait commencer à vivre.

La première fois que je la rencontrai, elle était accompagnée d'une personne se présentant comme étant sa grand-mère. C'était une femme toute menue, fragile ou malade et, de toute évidence, sur le point de casser. Elle disait avoir la garde de cette enfant, mais que c'était beaucoup trop lui demander. Elle affirmait qu'avec sa santé précaire, elle ne pouvait plus s'occuper d'une enfant, surtout d'une petite ayant autant de problèmes. Elle vivait dans un trois pièces, avec un conjoint qui, lui aussi, était malade. Tous deux manquaient non seulement d'énergie, mais aussi d'espace pour loger une troisième personne. Sandra n'avait donc pas de place à elle.

La grand-mère m'expliqua longuement les problèmes de santé qui la faisaient souffrir et qui l'handicapaient, au point de ne pas pouvoir se mobiliser ni même sortir de son lit pendant plusieurs jours quand le temps était particulièrement humide, surtout l'hiver. Elle se sentait vieille, usée et attristée de me parler ainsi. Elle m'entretint aussi de pertes de mémoire qui lui faisaient oublier parfois des choses importantes, les repas, les rendez-vous, les routines, ce qui, d'après elle, nuisait à la sécurité de l'enfant. Le conjoint ne valait pas mieux, car l'enfant le dérangeait et l'irritait, et selon elle, il n'avait aucune patience. Il ne pouvait plus la tolérer et, à la lumière des dires de cette grand-mère, je devinai qu'il ne se gênait pas pour la battre. Elle venait donc me voir, une de ses filles lui ayant dit que je pourrais l'aider. Par contre, elle ne me glissa pas un mot de la mère de la petite et lorsque je lui demandai où elle se trouvait, elle ne m'en dit pas davantage. Elle m'assura qu'elle ignorait totalement où elle était. Je l'ai connnu plus tard, lorsqu'elle revint d'un « long voyage », comme on le disait à Sandra quand elle posait la question.

L'histoire de Sandra se résumait à peu de choses pour le moment, et la famille ne possédait aucun papier pour nous éclairer. Les documents étaient perdus ou égarés et la mémoire de l'entourage faisait terriblement défaut. Elle était née « petite », « avant son temps », et on l'avait gardée dans un hôpital plus de deux semaines après sa naissance, mais on ne se rappelait ni où ni pourquoi, car la mère était déjà en cavale à ce moment-là. Un jour, une amie de la mère était venue incognito porter un colis à la grand-mère. Il s'agissait de Sandra, toute menue, enveloppée dans un drap sale. L'amie était repartie avant de répondre à la moindre question, disant simplement faire

« une livraison » pour quelqu'un du nom de Manon. En voyant ce bébé d'environ 6 ou 7 mois, la grand-mère reconnut immédiatement sa propre fille et ne posa pas d'autres questions. Souvent, dans ce milieu, il vaut mieux ne pas insister. L'enfant était maigre et semblait trop faible même pour pleurer aux dires de la grand-maman qui garda l'enfant sans en parler à personne. C'est ainsi qu'elle s'en attribua la garde, sans papier, sans soutien, et pendant une longue période.

La suite est obscure et je ne la connais pas bien encore. Depuis la « livraison » de l'enfant jusqu'à sa visite à ma clinique, il y a un grand trou noir. Il semble qu'elle soit restée enfermée tout ce temps avec les deux vieilles personnes, qu'elle n'ait jamais eu à consulter un médecin et qu'elle se soit débrouillée à peu près seule. Cependant, elle devait maintenant se présenter à l'école et la grand-mère m'avoua qu'elle trouvait de plus en plus difficile de s'occuper de ce petit diable qui était en train de la faire mourir. Elle continua en laissant entendre que son conjoint n'en voulait plus et qu'elle était mieux de ne pas se trouver seule en sa présence. C'était déjà une grosse marque de confiance que de me confier de telles choses à la première visite et je devais absolument conserver cette relation pour pouvoir aider la petite.

À la clinique de pédiatrie sociale, nous accueillons toute personne, sans condition, sans jugement et avec beaucoup d'empathie. C'est une des caractéristiques de l'approche de la pédiatrie sociale. Nous nous mettons entièrement à la disposition de l'enfant pour tous ses besoins et pour ceux des parents ou des accompagnants dans le seul but d'assurer le bien-être de l'enfant, la seule condition étant d'unir nos efforts pour assurer son développement et sa sécurité. D'ailleurs, quand on veut aider l'enfant de façon continue, c'est la seule méthode, celle qui permet la confiance, l'échange et le partage des moyens. Quand on veut agir en prévention, c'est la seule façon de faire émerger les secrets et les causes des difficultés. On peut alors mettre en branle un plan d'action, qui colle à la réalité et qui fait consensus dans le milieu même de l'enfant, avec l'équipe et le réseau local de pédiatrie sociale.

Lorsque l'enfant court un danger ou quand sa trajectoire est remplie d'obstacles, il est essentiel de préserver les acquis de la famille et du milieu, si minces soient-ils, puisque l'enfant y puise immanquablement ses fondements, ses liens et sa motivation, conditions essentielles à son développement. Sans cela, toute tentative est dangereuse et les objectifs sont compromis. L'approche par le milieu et un lien étroit avec la famille ont ainsi beaucoup plus de chances de produire des effets rapides et durables. Il est beaucoup plus facile d'aider une pousse d'arbre en la laissant sur place, en lui mettant des tuteurs et des engrais naturels, que de reboiser une forêt détruite. Il en va ainsi de l'enfant et de l'enfance.

Je proposai donc à cette femme de l'aider et de prendre l'enfant dans notre clinique tous les jours, pour qu'elle fasse des jeux et des activités de stimulation. Je lui suggérai de ne pas l'inscrire à l'école des 4 ans pour le moment, d'abord parce que ce n'est pas obligatoire et, surtout, parce que l'enfant n'était visiblement pas prête à commencer l'école. En effet, elle avait l'air d'une enfant sauvage, méfiante et même hostile. Elle se tenait à l'écart, ne s'intéressait pas du tout aux jouets à sa disposition et me jetait des regards défiants dès que je parlais d'elle. Elle semblait habitée par une colère terrible. Parfois, je l'observais et, au moment où je la pensais ailleurs, elle me perçait à jour en me lançant un regard chargé de reproches, le front plissé et les yeux méchants, prête à l'affrontement.

Je m'étonnai que, dans ces conditions, elle n'aie pas reçu l'aide de la DPJ ou même du CLSC et je posai la question à la grand-mère. Pour ce qui est du CLSC, elle avait déjà eu quelques contacts, entre autres avec une infirmière, pour faire mettre les vaccins à jour, mais elle avait trouvé que celle-ci posait trop de questions et elle s'en méfia dès qu'elle lui suggéra l'aide d'une travailleuse sociale. Elle lui ferma la porte. Elle ne répondit pas quand celle-ci revint faire une visite surprise. Par la suite, la grand-mère déménagea sans laisser d'adresse, ce qui l'arrangeait bien.

Puis, elle me répondit que la DPJ n'y pouvait rien et qu'elle ne voulait pas les voir dans le décor. Il y avait bien eu quelques signalements par des voisins dans le doute ou peut-être même par des membres de sa famille, mais selon elle, on était venu faire enquête à quelques reprises pour ne jamais revenir. Ce n'était pas un cas pour eux, semblait-il.

Il arrive comme cela, pour des raisons inconnues ou inexplicables, ou peut-être simplement à cause du jugement d'une personne, que tel ou tel cas qui devrait relever de la DPJ ne retienne pas l'attention. Pour des raisons tout aussi obscures, dans d'autres situations, des cas d'enfants qui ne devraient pas se retrouver à la DPJ y sont et y restent indéfiniment. Je n'ai pas encore compris cette logique, s'il y en a une, et je ne peux que penser que l'application de cette loi se trouve en des mains parfois compétentes et, d'autres fois, totalement incompétentes. Mais peut-être est-ce plutôt que ce système s'est enrayé et que rien ne va plus.

Ainsi, on assiste actuellement à la médiatisation cinématographique d'un cas typique de l'imaginaire québécois, celui d'Aurore, cette petite fille qui aurait subi les pires sévices jusqu'à en mourir. La DPJ profite de l'occasion pour inviter les gens à dénoncer toute situation inquiétante, laissant entendre qu'il s'agit de notre devoir de citoyen et qu'eux agiront dans l'intérêt de l'enfant. Or, ils savent très bien qu'ils sont actuellement complètement débordés, qu'ils n'arrivent qu'à éteindre des feux et qu'ils sont incapables d'offrir un soutien aux enfants et aux familles. Comment feront-ils quand des vagues d'appels inonderont leurs lignes téléphoniques et leurs intervenants déjà débordés ? Y aurait-il d'autres enjeux sous le tapis ?

La grand-mère accepta avec joie mon offre et m'assura de son entière collaboration. J'étais conscient que je lui enlevais une épine du pied, mais je voulais essayer d'apprivoiser cette enfant et lui offrir des services pour la tirer de ce carcan de colère. Toute autre solution m'apparaissait partielle et peu efficace. Faire placer Sandra en centre d'accueil, sans possibilité de soutien psychologique, aurait contribué à attiser sa colère. La référer directement à un autre professionnel ne semblait pas une meilleure solution, puisque sans une structure favorisant l'apprivoisement, elle n'accepterait pas de s'ouvrir. Il fallait renforcer sa base et attendre qu'elle soit prête à se confier. Cela allait prendre quelques années, avec des hauts et des bas, mais avec de petits gains constants. Le jeu en valait la chandelle.

Pour le moment, on ne savait pas ce qu'il était advenu de la mère. Même la grand-mère ignorait où elle se trouvait et elle me laissa entendre que c'était peut-être mieux ainsi. « Ma fille, dit-elle, n'a jamais pris ses responsabilités et elle est plus intéressée par ses "chums" que par sa fille ou sa famille ». Cette jeune femme était partie de la maison en fuguant, à 12 ans, et n'était revenue que deux ou trois fois, récupérée par la police dans des parcs ou dans la rue, pendant la nuit. Elle donnait alors l'adresse de sa mère pour éviter les ennuis du statut de « sans domicile », surtout à cet âge. Cependant, la famille ne fit jamais rien ni pour la chercher ni pour la récupérer, et cela arrangeait un peu tout le monde de la savoir partie le plus loin possible.

Cette jeune femme, Manon, était une enfant du viol. Elle était née au moment où, au Québec et dans certaines familles, on ne parlait pas de ces choses-là, où les coupables n'étaient jamais reconnus comme tels et où il était socialement impossible de ne pas garder un enfant. Sa mère n'avait jamais aimé sa fille et elle l'avait toujours associée à la terreur du viol dont elle avait été victime et dont elle ne s'était jamais remise. Elle la gardait loin d'elle et faisait la sourde oreille à ses cris qui ne témoignaient pourtant que de ses besoins fondamentaux. Quand elle avait faim, elle la laissait patienter des heures durant ; quand elle pleurait, elle ne faisait que crier après elle ; quand elle cherchait de l'attention, elle la lui refusait systématiquement, ce qui provoquait instantanément des sautes d'humeur. Jamais elle ne l'avait prise dans ses bras avec tendresse, pas plus qu'elle la bordait le soir au coucher.

Les deux s'étaient éloignées l'une de l'autre et le fossé était vite devenu infranchissable, ce qui expliquait la fugue subite de Manon à l'âge de 12 ans. Cette fugue avait été un événement libérateur aussi bien pour la mère que pour la fille. Il n'est donc pas surprenant de constater que Manon ayant eu à son tour un bébé, la petite Sandra, elle ne se sentit pas mère et abandonna rapidement son rôle, pas du tout intéressée par le fait de s'encombrer de ce bébé. Et maintenant, Sandra se retrouvait chez sa grand-mère avec, entre elles, l'histoire de Manon et tout ce qu'elle comportait de blessures et de culpabilité. La relation entre la grand-mère et la petite fille portait des traces et des stigmates qui ne s'effaceraient jamais. De plus, la grand-mère était maintenant d'un âge plus avancé et, surtout à cause de l'usure, elle n'avait plus l'énergie nécessaire pour lutter et se refaire à partir de l'enfant. Il fallait donc préserver les quelques lueurs d'amour qui persistaient et les indéniables traces identitaires. Et pour cela, nous devions nous engager activement et servir en quelque sorte de médiateurs.

Sandra commença à fréquenter nos services dès le lendemain de la visite de sa grand-mère. Elle arriva avec son air de la veille, mais en pire. Elle avait le regard farouche d'un enfant pris au piège et c'est d'ailleurs ce qu'elle ressentait à ce moment-là. Elle ne comprenait pas ce qui lui arrivait. Elle était prisonnière de personnes étranges qui voulaient l'aider, mais qui l'avaient rejetée et ne l'avaient jamais aimée. Soudain, de nouvelles personnes, d'apparence semblable aux autres, prétendaient vouloir son bien. Elle trouvait cela bizarre. Il y avait quelque chose de louche là-dedans et elle n'allait pas se laisser faire facilement. Elle se mit immédiatement en état d'opposition sous différentes formes et cela dura jusqu'à tout récemment. Aujourd'hui, Sandra a 9 ans.

Elle ne manqua aucune journée, mais pendant plusieurs jours, au début, elle refusa toute invitation à participer au groupe. Elle s'installait dans un coin de la pièce, jamais le même, et elle restait toute seule à jongler, sans pleurer et sans se plaindre. Si un enfant passait et l'invitait à participer à un jeu, elle baissait la tête et faisait une moue qui faisait fuir même les plus téméraires. Jusqu'au point où il n'y eut plus d'enfants pour la solliciter. Quand un adulte essayait de la faire participer à un jeu, à une ronde ou encore à un bricolage, elle se contentait de le regarder avec ses yeux noirs perçants et de détourner la tête en signe de désapprobation. Pourtant, aucun adulte ne désespéra ni n'abandonna la partie. Et malgré tout, nous nous sommes peu à peu habitués à elle et nous nous y sommes attachés. Les seuls moments où elle acceptait de participer, c'était lors des repas et des collations, où elle s'empressait de se servir de grandes quantités de nourriture qu'elle apportait ensuite dans son coin et qu'elle dévorait jusqu'au dernier morceau. Elle avait dû en manquer plus souvent qu'à son tour !

Tranquillement, très doucement, certains jours plus que d'autres, Sandra s'approchait et se laissait tenter. Elle ne faisait qu'observer, mais chaque fois d'un peu plus près. On la sentait se détendre et on s'en réjouissait tous, car le plus dur avec elle, c'était qu'en vivant à ses côtés on sentait toujours cette colère qui la mettait sous tension de façon dangereuse et imprévisible. Parfois, elle éclatait pour des riens et on ne pouvait pas l'approcher. Elle était en « surtension ». On se doutait bien que, quand elle retournait à la maison, la vie continuait comme avant, mais on se rassurait en se disant qu'elle passait de plus en plus de temps avec nous et qu'au moins elle allait vivre autre chose. Cet « autre chose », c'était d'une part le sentiment d'être acceptée, d'être la bienvenue, d'être considérée et de ne jamais être oubliée, et de l'autre, c'était la possibilité d'être aimée pour elle-même, de s'attacher à des personnes ouvertes et n'exigeant rien en retour. C'était aussi la possibilité de réaliser ses rêves.

Je me demande souvent, pour Sandra comme pour tant d'autres enfants qui vivent dans de mauvaises conditions chroniques, dans la pauvreté extrême, avec des carences, des souffrances, des abandons et des tromperies de toutes sortes, s'ils gardent leurs rêves d'enfants et leurs espoirs de changement. Cette question est fondamentale, car elle permet à elle seule de répondre à la question de la résilience et des mécanismes de survie. Quand on ne croit plus à ses rêves, mieux vaut en finir. Quand, par ailleurs, on garde la foi, il faut vivre pour sortir du cauchemar. La réponse est plus complexe que la question. Sandra avait gardé la foi, mais son rêve était profondément enfoui dans un petit recoin de son cœur.

Je questionne toujours les enfants, à leur première visite, sur leurs rêves et leurs cauchemars. En font-ils ? De quel ordre ? À quelle fréquence ? Des bons ou des mauvais ? Pour certains, les rêves sont fréquents et beaux, rarement mauvais. Bien sûr, il y en a qui font des cauchemars, mais c'est plus rare ; ces mauvais rêves sont occasionnels et ils sont habituellement liés à des monstres qui veulent les tuer ; mais les enfants se réveillent toujours à temps et c'est bien comme ça. Certains m'avouent n'avoir aucun rêve et ceux-là me bouleversent toujours, car la plupart du temps cela signifie aussi qu'ils n'ont plus aucun espoir ! Sandra était de ceux-là. C'est pourquoi il fallait agir au plus tôt, avant que tout espoir ne s'effondre à jamais.

Un jour, elle m'interpella sans que je la sollicite. « Je voudrais te voir tout seul », me dit-elle, du bout des lèvres, dans un effort impressionnant. Il était donc urgent que je l'écoute. Elle me parla d'une voix grave, sa voix normale. Cette voix m'avait impressionné dès notre première rencontre, car elle était assortie à ses yeux noirs profonds et à son intense colère. D'ailleurs, tout chez elle était intense, à commencer par cette voix qui pouvait toucher les cœurs les plus endurcis.

Elle me demanda de faire quelque chose pour mettre un terme aux sévices que lui faisait subir le conjoint de sa grand-mère. « J'en ai assez, me dit-elle, il me frappe chaque jour et je suis fatiguée. Fais quelque chose… mais ne le dis à personne », m'ordonna-t-elle. C'était sa première marque de confiance et elle arrivait à point. Je lui promis d'agir et elle finit par m'autoriser à en parler à sa grand-mère. Je convoquai celle-ci et lui fis part de la plainte de Sandra. La dame pleura un moment et, sans excuser le geste de son conjoint, elle me jura qu'elle ne le laisserait plus faire. La violence cessa. Et Sandra me remercia du bout des lèvres. Quelques jours plus tard, un soir, elle déposa sur le coin de ma table un dessin un peu primitif, avec un mot écrit en grosses lettres, « je tème docter juyen ». J'avais ma première récompense.

Puis, un jour, alors que je ne m'y attendais pas du tout, je reçus la visite de sa mère, Manon, qui sortait de nulle part. C'était une femme qui faisait tout pour en imposer, du moins par son allure extérieure. Plus tard, la vraie Manon apparaîtrait dans toute son immaturité, avec ses faiblesses, mais pour l'instant, elle dégageait une image de dureté. Elle se présenta et m'apprit du coup qu'elle était de retour et qu'elle allait maintenant s'occuper de son enfant, en lieu et place de sa propre mère, malade et trop fatiguée pour continuer. Désormais, c'est à elle que je devais me référer et c'est elle uniquement qui allait décider de ce qui était bon pour sa fille. « Je veux rattraper le temps perdu », me dit-elle. Cela promettait.

Avec Manon, j'eus une relation ambiguë, tendue et inconstante, ce qui traduisait bien l'état d'âme de cette femme. J'étais convaincu qu'elle souffrait beaucoup et que, derrière sa lourde carapace, se cachait une femme sensible, blessée certes, mais capable de grands sentiments. Toutefois, la carapace allait être plus difficile à percer que je ne l'imaginais. Je n'allais découvrir la face cachée de Manon que beaucoup plus tard. Pendant trois ans, ce furent des hauts et des bas, avec beaucoup de manipulation de sa part, des attitudes contrôlantes souvent inacceptables envers nous et envers Sandra, et très peu d'amour à donner car elle n'en avait pas une once en réserve.

Souvent le matin, à la première heure, elle surveillait mon arrivée pour exiger de me rencontrer d'urgence, «seulement deux minutes», disait-elle. Je m'attendais alors au pire. Elle avait toujours motif à se plaindre et elle n'avait jamais un mot gentil à dire à quiconque, ni une parole d'encouragement, surtout pas pour sa fille. Elle se plaignait de plusieurs choses, mais elle en avait en particulier contre le comportement de Sandra. Les choses étaient toujours négatives au possible. On avait droit à des phrases comme «Elle me traite comme une chienne», «Elle me répond d'aller chier», «Elle me dit qu'elle m'haït et qu'elle va me tuer» ou «Je ne peux plus la sentir, je vais la frapper, je vais la placer». J'ai entendu cela des dizaines de fois, j'écoutais patiemment tout en essayant de la calmer et de lui montrer doucement que son enfant était plutôt adorable avec nous et pleine de talents. De plus, Manon parlait toujours avec un petit sourire en coin, l'air de penser que j'étais sûrement d'une grande naïveté, et elle me disait que sa petite était manipulatrice et hypocrite. Elle finissait même par menacer de ne plus nous l'emmener, pour la punir. Chaque fois, je devais garder mon calme. Je tentais de la traiter aux petits soins, en allant négocier avec elle le privilège de continuer de m'occuper un peu plus de sa fille. Parfois, elle avait besoin de billets d'autobus, d'autres fois d'un dépannage alimentaire et, quelquefois, le seul fait qu'elle soit reçue en urgence suffisait pour nous permettre de gagner un peu de bon temps pour Sandra. Elle adoptait elle-même le comportement qu'elle reprochait à sa fille.

Entre la mère et l'enfant, il y avait une tension peu commune qui créait une relation complexe, à la fois intense et perverse, destructrice même, du moins en paroles et en attitudes. C'est comme si elles ne pouvaient pas se sentir, mais en même temps, elles étaient assurément à la recherche l'une de l'autre. Il y avait au fond de leur cœur une étincelle d'amour qui n'arrivait pas à se transformer en flamme, à cause d'un vent, que dis-je, d'une tempête de colères et d'aigreurs! On sentait cette colère profonde, chez l'une comme chez l'autre, dès qu'on était en leur présence et je ne vis presque jamais d'apaisement pendant toutes les premières années. Rien ne venait adoucir cette relation, ni accalmie ni répit, et je ne pouvais pas encore expliquer cette lourde tension. C'est pourquoi je tenais à dégager Sandra le plus possible de l'emprise de sa mère, pour le moment du moins. Nous l'avions donc invitée à se prévaloir quotidiennement de nos services d'accompagnement.

Il y avait bien, de façon assez régulière d'ailleurs, des signalements faits par des voisins ou par les écoles, et pour des raisons diverses. Le plus souvent, il s'agissait de chicanes de couple, de gros mots échangés entre les conjoints et, quelquefois aussi, de batailles. Les policiers venaient, séparaient les belligérants, vérifiaient la situation et calmaient l'enfant. Dans les situations les plus violentes, ils faisaient un signalement à la DPJ. L'école faisait de même quand les absences étaient trop fréquentes ou quand l'enfant semblait négligée ou affamée le matin, et après plusieurs essais infructueux pour rencontrer la mère. Puis, quelques jours plus tard, on apprenait que le signalement n'avait pas été retenu et on s'en remettait à «nos bons soins».

Que dire de son conjoint de cette époque, le parasite, le violent, l'inquiétant ? J'ai toujours pensé qu'il profitait de la fragilité et de la dépendance de Manon pour la pousser à se débarrasser de Sandra et pour soutirer tout ce qu'il pouvait aux divers services, y compris au nôtre. Il l'accompagnait lors de ses grandes envolées, mais il restait toujours à l'écart. Parfois, il se permettait même de m'avertir, à mon arrivée, que j'allais passer un mauvais quart d'heure parce qu'elle en avait assez. Je pense qu'il en jouissait un peu intérieurement. Il avait continuellement un regard croche et une attitude menaçante, surtout envers les femmes. En ma présence, il était relativement poli, mais dès que je tournais le dos, il prenait le contrôle et traitait les femmes qui travaillent avec moi, en particulier Sylvie à l'accueil, comme un patron méprisant et même menaçant, au point que je finis par lui interdire de mettre les pieds au local et de parler au personnel. Seule Manon pouvait venir.

Je le soupçonnais de violences psychologiques envers Sandra et il agissait en catalyseur négatif pour créer un conflit encore plus grand entre la mère et la fille. D'ailleurs, Manon le prenait souvent à témoin pour nous prouver à quel point sa fille était terrible et surtout terrifiante ! J'étais également convaincu qu'il traitait durement sa conjointe et qu'il la battait quand il en avait l'occasion. À plusieurs reprises, elle arriva avec des ecchymoses et des égratignures douteuses, mais elle m'affirmait toujours qu'il s'agissait de batailles entre femmes lors de sorties dans les bars. Il inquiétait même les intervenants de l'école puisqu'il se permettait d'accompagner Sandra et d'intervenir auprès des enseignantes avec brutalité. C'était à n'en pas douter sa façon de faire avec toutes les femmes. On finit par lui interdire l'accès de l'école puisqu'il n'avait officiellement aucun droit sur l'enfant. Pour toute question relative à Sandra, nous exigions maintenant la présence de la mère seule, mais l'ombre du conjoint planait constamment sur elle.

Pendant ce temps, nous apprivoisions Sandra. Sa trajectoire révélait petit à petit un grand potentiel et des talents multiples. Bien sûr, il y avait des pauses et même de petits reculs. Parfois, elle se mettait tellement en colère pour des futilités qu'elle devait quitter les lieux ou se mettre en pénitence elle-même afin de se calmer. Je me souviens d'une fois où elle s'en était prise à un enfant plus faible qu'elle, par excès de colère, et elle en fut tellement honteuse qu'elle alla se cacher derrière un rideau. Quand j'arrivai pour lui parler de cette affaire, elle y resta dissimulée. Je l'entendais respirer fortement, elle réfléchissait et se morfondait en même temps. J'aurais voulu l'approcher et la prendre dans mes bras pour la consoler, mais je me retins et je continuai à lui parler doucement, à travers le rideau, ce qui marchait à tout coup. Tranquillement, elle passa un œil sur le côté du tissu, en signe de reddition, puis elle mit à découvert son triste visage et, enfin, elle me fit un grand sourire, ce qui m'incita à tout lui pardonner sur-le-champ. Nous étions devenus complices, c'était une deuxième grande victoire.

Sandra commença à s'attacher à une bénévole, Anne, qui tentait depuis un bon moment de l'approcher de toutes sortes de façons. Après plusieurs essais et erreurs, Anne réussit à la faire participer à une activité de « bouffe » un peu spéciale. Mon anniversaire approchait à grands pas et on avait décidé, « en haut », d'organiser une grande fête où seraient servis des aliments végétariens cuisinés entièrement par les enfants. Sandra acceptait d'y participer à la condition de faire une pizza. Elle la prépara et l'emplit de légumes bizarres, qu'elle n'avait jamais vus ni goûtés et que, normalement, elle n'aurait pas osé manger. Lorsque vint le temps de couper l'avocat, par exemple, elle ne put s'empêcher de dire qu'elle trouvait que ce légume était dégueulasse, avec sa couleur verte et sa texture mollasse, « gluante même ». Elle n'en aurait pas mangé pour rien au monde et elle me laissait volontiers le tout.

Progressivement, elle se familiarisait avec d'autres adultes de notre Centre et se laissait apprivoiser plus facilement, mais c'est toujours Anne qui avait la faveur, c'est avec elle qu'elle voulait faire ses devoirs, c'est pour elle qu'elle gardait une place à table et c'est encore elle qui aurait le plaisir de lui permettre des vacances à la campagne dans les Laurentides. Sandra accepta même de participer à une pièce de théâtre où elle tenait un rôle tragi-comique qui lui allait à merveille. Elle pouvait être si drôle, faire tellement rire! Quel changement et quel cheminement depuis cette époque de colère où rien ne lui souriait et pendant lequel elle vivait une vie de désespoir. Au fond, les enfants ne demandent pas grand-chose, un peu d'attention, des petits moments de bonheur, une personne proche et tout le reste s'ensuit; ils s'attachent, se développent et deviennent heureux.

Sandra progressait, mais la vie continuait à être difficile à la maison. Elle était encore exposée fréquemment à de brusques changements, à des ambiguïtés, au délabrement et à la violence de son milieu. Cependant, elle pouvait désormais vivre ouvertement d'espoir, ses rêves avaient pris forme et sa vie tumultueuse se transformait en agréables tranches de vie. Elle avait plus de moyens pour affronter la réalité et elle profitait des bons moments pour emmagasiner de l'énergie en prévision des jours plus difficiles.

Un matin, à la porte du bureau, je vis le conjoint qui m'attendait, seul. Il était là, semblait-t-il depuis six heures du matin, impatient de me voir et craignant de ne pas m'attraper au passage. «C'est une question de vie ou de mort, me dit-il, il faut que je te voie tout de suite.» Je n'avais pas rencontré Manon depuis environ trois semaines et je commençais à m'inquiéter, car la grand-mère avait repris subitement Sandra et celle-ci n'allait pas bien dernièrement. Elle sautait partout, provoquait les plus jeunes et recommençait à défier les adultes auxquels elle s'était pourtant attachée. Quelque chose n'allait pas et je ne tarderais pas à l'apprendre.

Il était bouleversé. Manon avait disparu depuis trois jours et il l'avait cherchée partout. Maintenant, il l'avait trouvée et il me demandait d'aller la chercher moi-même et de la lui ramener… Il me suppliait de l'aider, en me racontant qu'il l'aimait et qu'il avait toujours pris soin d'elle. Il était désespéré et me dit que s'il allait lui-même la chercher, ce serait trop dangereux, qu'il pourrait tuer le « gars ». Je compris que Manon l'avait enfin quitté pour un autre et j'espérais intérieurement qu'il s'agisse d'un meilleur modèle d'homme que celui-ci. Il m'expliqua où elle se trouvait et comment m'y rendre. Il m'affirma que ça irait mieux si je passais par la porte d'en arrière… Il l'avait trouvée, il l'avait espionnée, il l'avait vue assise à une table de cuisine avec un autre homme. Et il pleurait en me disant qu'elle était assise sur le gars et qu'elle riait. Il voulait qu'elle retourne avec lui, mais il avait été trop lâche pour la reprendre lui-même. Il demandait maintenant au pédiatre de le faire à sa place !

Un pédiatre qui se consacre aux enfants a une vie parfois cocasse, à l'occasion difficile et souvent satisfaisante. Dans ce cas-ci, j'eus un certain bonheur à refuser mon aide à cet individu, quelque chose comme l'impression d'un juste retour des choses ou le sentiment d'une douce vengeance pour ce qu'il avait fait subir à la mère et à la fille.

Manon était en « voyage d'amour », ce qui expliquait sa disparition, mais surtout l'angoisse vécue par sa fille Sandra, qui devait se sentir une nouvelle fois abandonnée. J'en fis part à Anne qui décida de la prendre chez elle pendant quelques jours, le temps que les esprits et les corps s'apaisent. Cela fit un grand bien à la petite qui se sentit rassurée. Quelques jours plus tard, Manon me téléphona pour me donner rendez-vous au *Chic Resto Pop*. Elle voulait me présenter son nouveau copain. Cela tombait bien puisque, ce soir-là, Sandra devait justement y prendre son repas du soir avec les autres enfants qui participent à nos activités. En arrivant sur les lieux, j'allai les voir, et l'un d'eux accourut vers moi pour me dire que Sandra avait un nouveau père. Elle l'avait donc déjà rencontré ! Quand je vis la fillette au bout de la table, elle me fit un sourire en me montrant le couple, sa mère et le nouveau compagnon. Ils étaient à une table voisine en train de s'embrasser. Les choses s'annonçaient bien.

Quand j'arrivai à leur hauteur, Manon tenait encore son amoureux par le cou et elle me le présenta avec un grand sourire, très fière. Je fus surpris par le ton de sa voix. Elle n'avait plus la voix rugueuse d'avant ni le ton agressif qui la caractérisait. Elle-même n'était plus que douceur. Je vis en elle une nouvelle femme et c'est certainement ce qui avait plu à la petite Sandra. Quant à l'amoureux, il me fit d'abord une drôle d'impression. Il avait un tic constant au visage et des yeux gris d'acier et pénétrants. Pourtant, dès qu'il se mit à parler, je sentis qu'il dégageait lui-même une grande douceur. Il me salua et, tout de suite, il me fit la promesse de protéger Manon avant même que je ne lui demande quoi que ce soit. Il vivait en appartement avec des colocataires et l'ex avait déjà téléphoné pour faire des menaces ; mais il me dit que c'était un peureux et un batteur de femmes et qu'il ne le craignait aucunement. Pour le moment, Sandra allait rester chez sa grand-mère, mais dès que les choses se seraient arrangées, ils allaient se trouver un logement et prendraient la petite avec eux.

Depuis ce temps, ils filent le parfait bonheur. Je ne reçois plus les doléances de Manon et je n'ai plus à calmer ses colères. Ils sont encore en amour et cela fait la joie de Sandra. Celle-ci peut donc continuer sur une trajectoire presque parfaite, même s'ils ne l'ont pas encore reprise avec eux, faute de moyens et surtout d'un logement adéquat, les appartements étant devenus introuvables depuis quelque temps dans notre quartier. Sandra est en train de passer un été de rêve dans des camps d'enfants éloignés, avec des personnes qu'elle aime et qui, toutes, la trouvent attachante et charmante. Elle a l'air d'un garçon manqué ces temps-ci, parce qu'à sa demande, elle s'est fait raser le crâne pour éviter les poux par cette grande chaleur. Un jour, un adulte qui était venu me voir au bureau l'aperçut et demanda tout bonnement «Quel est le nom de ce petit garçon?» J'eus un frisson en me rappelant la tendance de Sandra à réagir subitement et de façon agressive à de telles erreurs sur sa personne. Pourtant, cette fois elle n'en fit rien. Elle répondit simplement, «Je m'appelle Sandra et j'ai 9 ans», puis elle détourna les yeux et continua son bricolage, comme si de rien n'était, laissant l'adulte confondu.

Voilà notre nouvelle Sandra. Et nous en sommes tous bien fiers.

LES QUATRE ENFANTS DE SOPHIE

▼

Aujourd'hui, la société, j'avais besoin de vous!

Ce soir, je suis en colère. Je veux bien vous raconter la triste histoire de la famille X, car je crois que cela pourra m'apaiser un peu et vous faire comprendre ma frustration concernant la générosité de la société et l'éthique des services. Les événements se sont déroulés au cours de la dernière semaine, et ce soir je suis très inquiet pour quatre enfants que j'ai dû laisser à eux-mêmes et à leur destin. Je m'en veux un peu, mais je n'y peux rien! Encore une fois, je sens mon impuissance. Nous avons pourtant fait l'impossible, Natacha et moi, mais ce soir, nous partageons les mêmes frustrations, celle de ne pas posséder suffisamment de ressources et celle de nous heurter aux limites humaines des services.

Il y a une semaine, les enfants de Sophie m'ont demandé d'aller voir leur mère pour lui parler. Elle n'était pas dans son état normal et la situation les inquiétait tous au plus haut point. Ils n'en dormaient plus et vivaient dans une grande angoisse jour et nuit. Ils n'avaient à peu près rien à manger et devaient porter des vêtements qu'ils ne réussissaient même plus à laver par manque de tout, laveuse, savon etc. Certes, ils avaient l'habitude de s'inquiéter. Mais cette fois, c'en était trop, ils craignaient réellement pour leur mère et ils avaient honte ; ils ne pouvaient pas rester sans rien faire. Ils eurent donc cette démarche courageuse.

J'allai donc faire une visite « annoncée » à la maison. Sophie sortit sur le balcon pour m'accueillir. Apparemment, elle était contente de me voir. Je ne l'avais pas vue depuis quelque temps parce qu'aux dernières nouvelles elle allait bien, et parce que ces dernières années, elle semblait s'être pas mal sortie de la grosse misère. Je savais qu'elle fréquentait d'autres organismes de soutien, elle avait même commencé à écrire des textes de guérison dans un petit journal du quartier, et cela suffisait à me rassurer. Je voyais les enfants à l'occasion et tout allait bien pour eux, ils gardaient leur éclat. De plus, ni l'école ni la société ne se plaignaient d'eux.

L'aîné, Patrice, était maintenant âgé de 20 ans et vivait plus ou moins à la maison. Il avait trouvé un petit emploi qui lui permettait de temps en temps d'aider financièrement sa mère. Il se calmait peu à peu, entre autres grâce à une jeune fille dont il était amoureux et qui avait sur lui une influence apaisante. Il avait toujours été l'enfant le plus critique envers sa mère et il la surveillait constamment, épiant parfois ses allées et venues, comme le ferait un père jaloux avec sa fille. Il la critiquait sévèrement et sans ménagement, devant moi et parfois devant d'autres personnes, ce qui enrageait Sophie. Elle répondait alors du tac au tac qu'elle ne voulait pas se faire contrôler par un « ti-cul ». La guerre de mots commençait alors et elle durait jusqu'à ce que l'un des deux prenne la porte. Patrice jouait un rôle d'homme sans en avoir la maturité, mais son désir de sauver sa mère ne lui laissait pas de répit. Au fond, Sophie appréciait cette relation, car peu d'hommes dans sa vie l'avaient protégée avec autant d'ardeur et de constance.

Michel, 16 ans, suivait les traces de son frère, il avait déjà « lâché » l'école et menait une vie plutôt délinquante. À son actif, quelques petits vols, des menaces physiques à l'école, des expulsions et une ou deux visites au poste de police. Michel est un charmeur depuis sa tendre enfance. Il a constamment un sourire accroché au visage et une bonhomie qui séduit même ses ennemis. On lui ferait confiance au premier regard ou l'absoudrait sans confession. Son fond est bon, certes, mais la vie lui a appris à utiliser cette façade de bon garçon et son sourire à des fins différentes. Il en veut profondément à sa mère pour des raisons que je n'ai jamais comprises.

Geneviève, 12 ans, est la première fille de Sophie, celle qu'elle n'attendait plus et avec laquelle elle développa une relation difficile et complexe. Jadis, elle avait voulu une fille même si cela lui faisait peur parce qu'elle craignait vivement de lui transmettre ses propres souffrances en héritage. Elle voulait éviter d'exposer sa fille à une vie dure comme la sienne. Cette ambiguïté dans son rôle teinta toute leur vie commune. Quand elle avait rencontré le père de Geneviève, elle avait déjà deux garçons et une vie tranquille. Elle savait que ce n'était pas un homme pour elle, mais sa « dépendance » étant trop forte, elle avait succombé en sachant bien qu'il n'y aurait pas de lendemain. L'enfant fut conçue dans le plaisir, mais pas dans l'amour.

Samantha, 9 ans, était la cadette, un trésor pour sa mère. Elle avait une relation privilégiée que tous, d'ailleurs, lui reprochait. La petite avait été conçue avec un homme doux et rieur, dont Sophie avait été follement amoureuse. Cet homme était déjà marié et il l'avait clairement dit à Sophie, mais celle-ci avait décidé de jouer le tout pour le tout. Depuis l'arrivée de Geneviève, elle avait souhaité avoir une autre fille. Elle s'y était préparée et en parlait à tous. Ce qu'elle ne comprenait pas et ce qu'elle nierait toute sa vie, c'est qu'elle cherchait un enfant de remplacement pour lui offrir tout ce qu'elle ne pouvait pas donner à Geneviève.

Sophie était une jeune femme dynamique et passionnée, mais fragile et dépendante. Je l'avais connue dans ses jeunes années, encore adolescente et toujours sur le «party». Elle fréquentait un centre d'aide, à cause de son jeune enfant, sa première grossesse étant survenue quand elle avait 14 ans. Bien sûr, elle était précoce et elle se vantait d'avoir un tas d'amis. Elle nous assurait toujours qu'elle n'avait pas de problèmes malgré ce que l'on constatait dans les faits. Elle manquait souvent d'aliments essentiels, elle vivait de nuit et dormait de jour, elle faisait garder son enfant par des personnes parfois étranges, et le développement de son fils était particulièrement lent. La DPJ avait souvent été appelée; cela s'était répété par la suite pour les autres enfants, de façon ponctuelle. Les intervenants du CLSC avaient généreusement collaboré pendant toutes ces années, et Sophie se faisait un devoir de fréquenter des organismes de soutien, par conviction plus que par obligation.

Malgré tous ces problèmes, c'était une femme intelligente et motivée qui souhaitait le bien et le mieux pour ses enfants. Toutefois, elle était rattrapée à tout coup par les blessures de son enfance qui étaient gravées dans son cœur. Ces blessures lui avaient laissé cette grande dépendance qui, à la première occasion, lui faisait perdre la tête et ses bonnes intentions. Pourtant, elle se forçait sincèrement et souvent, pendant des mois ou des semaines, elle changeait tout dans sa vie. Elle se remettait alors en piste, se consacrant corps et âme à ses enfants. Chaque fois, nous reprenions espoir. Et c'est ce sentiment d'admiration devant son courage qui nous motivait à continuer à l'accompagner dans son cheminement.

Sophie n'avait pas eu d'enfance. On l'avait trouvée vers l'âge de 1 an dans des conditions épouvantables, dans un logement infect du quartier Centre-Sud. Sa mère était absente depuis plusieurs heures et elle était quasiment déshydratée. On l'avait placée d'urgence pendant quelques semaines en famille d'accueil où elle avait récupéré un peu, au plan physique. Elle fut bien nourrie et on lui accorda toute l'attention nécessaire. Mais c'était une enfant difficile, déjà très volontaire. Elle était impatiente et se mettait à crier à la moindre frustration. On se fatiguait vite à son contact ; elle était « dure à vivre », disait-on, ce qui fait qu'on ne s'attachait pas à elle et que, probablement, elle-même ne souhaitait s'attacher à personne.

On la changea donc plusieurs fois de famille d'accueil dans l'espoir de créer chez l'une d'entre elles un lien plus étroit, mais on n'y réussit pas et, à chaque fois, on provoquait une nouvelle brisure et de nouveaux stress pour l'enfant. Elle fut finalement placée en centre d'accueil vers l'âge de 5 ans, et elle y demeura jusqu'à ses 10 ans, au moment de sa première fugue. Ces années-là aussi furent difficiles puisqu'on devait la punir pour qu'elle cesse de s'opposer à tout, pour qu'elle domine son impulsivité et ses nombreuses colères. Devant tant d'échecs et par crainte d'en faire une délinquante irréversible, on avait décidé par la suite d'adopter une méthode plus douce comme tentative ultime et justifiée d'améliorer sa vie.

On l'avait alors mise en foyer de groupe, où elle bénéficiait d'un peu de liberté. Elle allait dans une école de quartier où, pensait-on, elle se ferait plus facilement des amies. Le foyer de groupe était situé dans le quartier Hochelaga qu'elle adopta d'emblée. Elle fréquenta l'école Saint-Clément où elle trouva non seulement de nouveaux amis, mais où elle créa aussi des liens pour la première fois de sa vie. Une jeune enseignante la prit sous son aile, elle commença à vivre des succès à l'école et on s'en occupait bien. Elle participa à une activité pour préparer le spectacle de fin d'année et elle s'y donna entièrement, si bien qu'on lui fit une ovation, en fin d'année, lorsqu'elle reçut sur scène le certificat de l'élève la plus active de l'école. Tout allait donc pour le mieux et on semblait enfin avoir trouvé son vrai chemin. La fin du primaire lui donna un moment de répit et de croissance, quelques années de bonheur, comme elle n'en avait encore jamais vécu.

À 13 ans, elle dut, comme tous les élèves, faire le saut au secondaire. Comme elle n'avait pas réussi à rattraper tout son primaire, malgré ses efforts et sa détermination, les retards scolaires antérieurs étant trop marqués, elle se retrouva en cheminement particulier à l'école secondaire du coin. Non seulement perdait-elle le foyer de sécurité et de réalisations qu'était son école primaire, mais elle se retrouvait dans un monde nouveau, inconnu et menaçant, sans sécurité et avec des retards à combler. Elle se sentit abandonnée de nouveau et elle reprit la trajectoire de la facilité et des mauvaises fréquentations.

C'est ainsi que, quelques mois plus tard, elle se retrouva enceinte. Son rêve scolaire s'évanouissait progressivement, elle accumulait les échecs, les renvois et les menaces, jusqu'au point de tout lâcher. Elle s'accrocha tant bien que mal à la vie et se mit dans la tête de tout donner à son premier enfant, en désespoir de cause, comme si elle s'accrochait à une bouée. Cela ne fit que la frustrer davantage et la relation avec son fils se développa sur un mode anxieux, avec manipulation, contrôle et chantage en toile de fond, ce qui allait durer toute leur vie.

Quelques années plus tard, Sophie se trouva en crise. Elle avait encore une fois besoin d'aide et moi, j'avais besoin de la DPJ parce que je ne pouvais pas lui faire changer d'avis et que ses enfants n'en pouvaient plus. Ces dernières années, elle avait tenu le coup. Elle disait que le passé était bel et bien derrière elle et que plus jamais elle ne se ferait prendre. Elle avait eu sa leçon et plus rien ne comptait dans sa vie que ses enfants, disait-elle à son entourage. Elle vivait dans des conditions difficiles, mais elle ne s'en plaignait pas. Elle ne demandait jamais rien, pas le moindre petit coup de main, même dans les périodes les plus dures. Et quand elle le faisait, c'était toujours avec l'engagement de tout restituer. Elle avait sa fierté et elle aimait ses enfants, ça se voyait.

Quelques mois plus tôt, en passant dans le coin, je lui avais fait une visite « d'ami » et je l'avais trouvée changée. C'était peu perceptible, mais je sentais quelque chose d'indéfini qui me mettait un doute en tête, trop vague cependant pour le prendre vraiment au sérieux. Elle avait pris du poids. La maison, qui était habituellement en ordre, était maintenant à l'envers et sale. Je sentais chez elle une impulsivité nouvelle, sinon une fébrilité que je m'expliquais mal. Puis, arriva un homme que je ne connaissais pas, mais qui m'inspira peu confiance au premier abord. Je sentis alors, dans le regard et l'attitude de Sophie, un aveuglement que je pris pour de la passion et qui pouvait expliquer les changements que j'avais notés. Elle me le présenta comme un ami qui habitait la maison temporairement et elle m'expliqua qu'elle ne faisait que le dépanner parce qu'il était mal pris. Sans que je lui demande d'explications, elle me jura soudain que c'était vraiment temporaire et qu'il n'y avait rien de physique entre eux. Je me sentais comme un père devant sa fille qui vient de faire un mauvais coup et qui tente de se justifier. Je me rendais compte que c'est ainsi qu'elle me considérait et que ce n'était vraiment pas le rôle que j'espérais jouer auprès d'elle. Or, tant qu'à le jouer, autant aller jusqu'au bout.

Pendant qu'elle accueillait son « ami », j'en profitai pour m'informer auprès des enfants de ce qu'ils pensaient de la situation de leur mère et de cet homme, surtout que la place était restreinte, de même que les vivres. J'appris que cela durait depuis plusieurs mois, qu'il vivait avec eux en parasite et qu'il ne faisait que traîner sur place, sans apporter d'aide, sans fournir sa part. Il était sans le sou, sortait de prison, n'avait rien à offrir à leur mère que des caresses, et la plupart du temps devant eux. En d'autres moments, il dormait sur le divan, il se plaignait quand on le dérangeait et menaçait de frapper les filles.

Samantha en avait peur et se cachait souvent dans la chambre qu'elle partageait avec Geneviève. Celle-ci passait la plus grande partie de son temps à l'extérieur, chez des amis ou dans la rue, pour ne pas croiser ni affronter cet homme. Quant aux garçons, ils se disputaient souvent avec l'énergumène et les discussions toujours très animées finissaient en gros mots et en menaces, sinon en bagarres. L'atmosphère devenait de plus en plus intenable et ils tentaient par tous les moyens de se débarrasser de l'intrus. J'en parlai ouvertement à Sophie qui me jura qu'il allait partir bientôt, car il venait de trouver une chambre avec trois de ses amis.

Les choses en restèrent là, mais je tentai à quelques reprises de garder contact avec les enfants pour m'assurer que tout allait bien, ou «pas trop mal» comme on dit. Samantha fréquentait nos services d'aide après l'école, et elle y venait avec un plaisir évident, apportant avec elle toute sa bonne humeur et sa bonhomie contagieuse. Comme je la voyais quotidiennement, cela me permit de m'en servir comme baromètre de la situation familiale. En effet, cette enfant possède la transparence qui permet de tout lire et tout décoder des sentiments de quelqu'un.

Certains enfants comme elle ont cette propriété de laisser paraître ce qu'ils ressentent et ce qu'ils vivent. On peut sentir le moindre de leurs sentiments, le plus petit de leurs frissons et parfois, malheureusement, tout le malheur qui pèse sur leurs épaules. Ils nous font vivre ce qui se passe en eux. On se sent immédiatement concerné, rempli de compassion au point de ne vouloir que les consoler et les emmener vers un mieux-être qu'ils méritent plus que quiconque. Ce sont des enfants transparents, diaphanes et purs, qui ne demandent qu'à être aimés. Ils sont fragiles certes, car ils peuvent casser comme une porcelaine, mais ce sont aussi des êtres résilients qui oublient tout malheur dès que la porte de l'amour s'entrouvre. Comment ne pas les aimer? C'est d'ailleurs ce qui se produisait avec Samantha: tous ceux qui la côtoyaient l'aimaient et voulaient la protéger. C'était aussi la protégée de sa maman.

Enfin, les choses s'améliorèrent et Sophie reprit un peu de son bon sens auprès de ses enfants. Elle conservait ses acquis, durement gagnés, et continuait de s'en occuper, mais ce fut encore une fois au détriment de ses propres sentiments et par pure bonté d'âme. Elle gardait pour elle ses frustrations et tentait de contenir cette fébrilité qui l'assaillait sans cesse et la brûlait de l'intérieur. Elle affirmait ne plus vouloir d'homme dans sa vie, « seulement à l'occasion pour verser le trop-plein, affirmait-elle, car on m'a trop trompée, mais je garde le besoin ». Elle se disait maintenant à l'abri de toute rechute de dépendance ou du moins essayait-elle de s'en convaincre puisque son énergie était entièrement consacrée à ses enfants.

Elle était animée d'un courage énorme et impressionnant pour contenir toute cette énergie qu'elle avait accumulée au cours de sa vie et qui menaçait sans cesse de déborder. Elle s'offrit comme bénévole dans un organisme communautaire, elle participa à l'amélioration du complexe où elle habitait, elle fut responsable d'un petit journal de rue pour aider des mères seules, elle qui n'avait pas même terminé son cours primaire. Mais cela ne suffisait jamais et elle devait vivre un calvaire quand elle se trouvait seule la nuit se voyant vieillir et perdre un peu plus chaque jour ses charmes d'antan. Cela finit effectivement par déborder et la débâcle fut grande, incontrôlable.

Je ne l'avais jamais vue autant dans le besoin, le regard fuyant, les mots durs et l'attitude déterminée. Soudain, plus rien d'autre n'avait d'importance que son bonheur à elle. Je lui parlai à nouveau en tant que médecin de ses enfants d'abord, mais encore plus comme ami et aussi comme « père » puisqu'elle était sensible à ce rôle qu'elle m'avait jadis donné. Elle m'écoutait, mais elle regardait ailleurs, et malgré tout ce que je lui disais, je n'avais aucune emprise sur elle. Elle se trouvait maintenant sur une autre trajectoire, la sienne, et elle finit par me dire, cette fois en me regardant droit dans les yeux : « Écoute, docteur Julien, quoiqu'il arrive, je suis prête, je veux vivre ! »

Depuis une semaine, ses enfants se relayaient chez nous. Ainsi, j'appris bientôt la sévérité des difficultés qu'ils affrontaient depuis quelque temps. Ils avouèrent n'avoir pas parlé plus tôt parce que Sophie l'exigeait et qu'elle leur affirmait que c'était temporaire, qu'elle allait se replacer. Elle les suppliait de lui donner du temps à elle, sans se plaindre. Ils craignaient aussi d'être placés si les choses venaient à se savoir. Cependant, dès qu'ils comprirent que les choses n'allaient pas changer et qu'au contraire tout empirait, ils décidèrent d'agir.

Quand je me rendis chez eux la dernière fois — il y a quelques jours de cela — j'appris qu'elle avait passé la journée à faire un peu le ménage pour que ça paraisse bien. Mais ça ne paraissait pas bien du tout, alors je me suis demandé à quoi ça pouvait ressembler avant le grand ménage… Il y avait encore un homme, un autre, couché par terre dans la cuisine, et nous devions le contourner pour nous déplacer dans la maison. Il relevait d'une cuite et cuvait encore sa bière. J'appris qu'un autre indésirable, plus dangereux encore celui-là, vivait lui aussi à la maison, mais il avait été emprisonné deux jours auparavant. Il était déjà recherché par la police et il fut découvert et incarcéré cette nuit-là après que des voisins se soient plaint du bruit et des disputes. Il habitait la maison depuis trois semaines, et pour lui aussi, il s'agissait d'un dépannage temporaire. Pendant les soirées et les nuits, c'était la fête : il fallait bien s'amuser un peu, selon Sophie. Pendant ce temps, les enfants fuyaient ou se terraient dans leur coin. Ils avaient peur, et il y avait de quoi.

Ces hommes étaient dangereux et Sophie les avait laissés côtoyer ses enfants en se disant qu'ils n'étaient jamais seuls avec eux et qu'elle surveillait le tout. Pourtant, dans les moments de grand « party », elle n'avait plus toute sa tête. Tout pouvait arriver, ce dont les enfants étaient conscients. Le plus vieux, Patrice, s'était battu à quelques reprises avec les hommes qui prenaient déjà toute la place et qui ne respectaient pas sa mère. Il voulait prendre sa défense, mais en même temps il la critiquait sans cesse. Elle se sentait donc trahie par ce fils et projetait de le jeter dehors. «Il a maintenant 20 ans, me dit-elle, qu'il aille se débrouiller ailleurs, il n'a pas de leçon à me donner.»

Pour Michel, le deuxième, la situation était encore plus dramatique. Il vivait dans l'ombre de son grand frère et commençait à copier dangereusement ses comportements délinquants. Il avait commencé à voler, mais aussi à menacer des enfants plus jeunes. Son frère et idole commençant à prendre ses distances avec lui, il s'était fait une amoureuse qui lui prenait beaucoup de temps. Son frère n'avait de cesse de le harceler et de le provoquer, si bien que la bataille éclatait souvent entre eux. On avait l'impression qu'il essayait de se venger des méfaits de sa mère sur son frère. En fait, il souffrait beaucoup de cette situation, et ces derniers temps il avait exprimé des idées suicidaires sous forme de menaces et de provocation. Personne ne l'avait pris au sérieux. Un soir, paniqué, il avait repris ses menaces et s'était ensuite enfui dans la rue en criant aux automobilistes de le tuer. Un peu plus tard, il avait agressé un jeune qui passait par là et qui l'avait regardé un peu de travers, avec l'intention d'en finir. Il continuait à dire qu'il le tuerait et qu'il se tuerait lui-même. On l'emmena à l'hôpital où il passa la nuit et on le retourna le lendemain à «mes bons soins».

Les filles, elles, n'en menaient pas large. Elles vivaient dans la crainte, mais surtout dans une sorte de désespoir de voir leur mère aux prises avec de tels individus, de la voir se coller à eux et ne pas s'en faire de leur manque de manières et de respect. Elles étaient habituées à plus d'énergie et de force de sa part, et elles se sentaient perdues et déséquilibrées. Un de ces hommes avait même fait des avances à Geneviève devant sa mère, mentionnant au passage qu'elle avait un «beau cul mangeable» et qu'il ferait bien des «choses» avec elle. Sa mère avait trouvé cela drôle et n'avait rien fait pour protéger sa fille. Celle-ci n'allait pas le lui pardonner de si tôt.

Les deux filles passaient le plus clair de leur temps à la maison, enfermées dans leur petite chambre qu'elles avaient décorée au mieux de leurs moyens. Pour se sortir de ce cauchemar, l'une dessinait, l'autre écrivait des poèmes. Les dessins de Samantha restaient joyeux et naïfs, ses personnages avaient de grands sourires, il y avait une abondance de fées, de fleurs multicolores et de personnages de rêve. Geneviève, elle, écrivait des poèmes d'amours impossibles, des histoires de chevaliers conquérants, et elle y décrivait de longues attentes et de sombres peines. Chacune trouvait, à sa façon, une voie d'évitement ou de contournement qui n'allait pas durer toujours. D'ailleurs, elles commençaient à fuir de plus en plus la maison et maintenant, lorsqu'elles étaient ensemble, elles se chamaillaient pour des riens. L'une comptait sur sa grande sœur pour la consoler et se laisser guider. L'autre rêvait de liberté. On les retrouvait souvent chez des amis, elles traînaient de plus en plus souvent dans le parc jusqu'aux petites heures du matin, en espérant que le calme serait enfin revenu à la maison. Or, à ces heures tardives, la fête ne faisait que commencer.

Un après-midi, Michel était assis devant moi, un peu hagard et la mine défaite, lui habituellement si sûr de lui et souriant. Il ne savait pas trop ce qui se passait dans sa tête, mais chose certaine, il ne pouvait plus endurer la situation. Il en voulait à tout le monde, à part sa mère. Il disait que celle-ci avait besoin d'aide et il nous suppliait de faire quelque chose, car cette fois il ne retournerait pas à la maison. Ses deux sœurs nous attendaient à l'étage, espérant aussi que la situation s'améliore.

Nous allions donc tenter, encore une fois, d'intervenir auprès de la mère. Avec l'aide de notre travailleuse sociale et de celle du CLSC qui connaissait bien la famille et qui avait un bon lien avec la mère, nous tînmes un conciliabule avec les enfants. Ma proposition était de sortir la mère de la maison plutôt que les enfants et ce pour deux raisons principales : tout d'abord faire en sorte que l'homme parasite quitte les lieux en l'absence de Sophie ; ensuite, donner un moment de répit à la mère afin qu'elle prenne le recul suffisant pour accepter de suivre une thérapie de dépendance. Selon les enfants, le plan avait du bon sens et ils y adhérèrent immédiatement. Il fallait maintenant convaincre Sophie de partir, dans l'intérêt de ses enfants. Eux pouvaient facilement composer en son absence avec l'aide de parents et de voisins.

Les deux travailleuses sociales se présentèrent chez la mère, confiantes de la justesse de notre plan et assurées de la convaincre. À la surprise générale, Sophie déclina l'offre, insultée même de la démarche de ses propres enfants. L'homme resterait à la maison, elle garderait son ami pour des raisons humanitaires, « on ne met pas un ami dehors » dit-elle. Elle laissa même entendre que si ses enfants devaient être placés, elle accepterait bien la situation. Encore une fois, elle niait le problème et nous accusa tous de vouloir trop en faire. « Il n'y a pas de problème », dit-elle encore. Ce n'était assurément pas la Sophie que nous connaissions qui parlait ainsi. Les enfants étaient atterrés, déçus et désespérés.

Michel ne rentra pas à la maison et se réfugia chez son parrain pour la nuit. Geneviève alla dormir chez une de ses amies de même que Samantha. Quant à Patrice, il était encore à la maison, mais il avait juré qu'il allait tuer le parasite qui le faisait de plus en plus « chier ». Nous avions convenu ensemble d'un rendez-vous pour le déjeuner du lendemain. Les trois plus jeunes se présentèrent à l'heure. Ils étaient affamés, n'ayant pas mangé depuis la veille au midi parce qu'il n'y avait rien à se mettre sous la dent à la maison. Ils étaient dans l'attente aussi, se demandant ce qui allait se passer. Nous leur fîmes savoir qu'il n'y avait pas cinquante-six solutions et qu'il fallait agir vite.

Je proposai de faire appel à la DPJ à cause des dangers et pour inciter leur mère à bouger avant que n'arrive une catastrophe. Nous étions dans une situation d'urgence, nous avions épuisé tous nos moyens et les dangers étaient grands : risque de suicide pour l'un, risque d'agression pour l'autre, risque d'abus envers les filles, etc. Au début, les enfants ne voulaient pas entendre parler de la DPJ, car ils risquaient d'être placés. Pour combien de temps ? Ensemble ou séparés ? Que ferait leur mère ? Voilà les questions qu'ils se posaient, à juste titre d'ailleurs. Puis, à force d'explications et d'incitations, nous avons pris la décision de faire un signalement d'urgence au nom de notre organisme.

Nous avons donc communiqué avec l'intervenante de la DPJ, sous la forme d'un signalement pour une aide d'urgence. Nous avons dit ce que nous savions, parlé de nos craintes et mentionné ce que nous avions essayé de faire pour corriger la situation. Il s'ensuivit de longues discussions au téléphone, des appels et des rappels multiples pendant qu'on discutait dans les grands bureaux de la DPJ, boulevard de Maisonneuve. Il était 9 h 30 du matin quand tout a commencé. Il était 11 h 30 quand on nous annonça qu'ils allaient intervenir... le lundi suivant ! C'était un vendredi et il faut croire que les urgences peuvent attendre jusqu'au lundi.

Après toutes ces négociations, après les palabres et les discussions, nous revenions à la case départ et nous nous retrouvions seuls avec le problème. Non pas que nous n'y sommes pas habitués, car ce genre de situation se présente assez fréquemment avec des services d'une telle lourdeur, mais cette fois, cela dépassait les bornes. Pourtant, la publicité nous enjoint, au nom des enfants, de signaler tout ce qui bouge et on nous assure qu'on interviendra pour les protéger, car c'est là leur rôle, n'est-ce pas ? Quelle fausse publicité !

Que faire? Nous étions pris au piège. Nous avons alors tout essayé pendant deux jours pour éviter le danger à ces enfants désabusés qui s'attendaient à une aide immédiate et qui n'ont finalement reçu qu'un peu de sympathie dans un service complètement débordé. Il n'y avait plus de place pour les héberger à la maison de répit. Nos bénévoles ne pouvaient pas les prendre, car la famille n'était pas fiable non plus. Il était trop tard pour s'organiser. Un voisin accepta d'héberger chez lui les deux filles. Michel retourna chez son parrain et l'aîné s'en alla chez son amie. Le «party» allait avoir lieu pendant toute la fin de semaine sur le dos des enfants. On attendrait à lundi pour la suite.

Je donnai mon numéro de téléavertisseur à Samantha en l'invitant à m'appeler si elle ne se sentait pas bien ou pour m'avertir en cas d'urgence. Nous étions tous frustrés et déçus. Nous en avions contre un service coûteux où l'on réagit parfois de façon excessive, pour des raisons douteuses ou discutables, et où l'on n'accepte pas de se mobiliser un vendredi de fin juillet dans des conditions où il est clair que la sécurité, le développement et même la vie de plusieurs enfants sont compromis.

Lundi, nous devrons peut-être encore nous débrouiller seuls. Nous en avons l'habitude, mais nous continuons à penser que les grands discours des services d'aide aux enfants ne sont pas faits pour les enfants, même quand ils sont en grande détresse. Les enfants de Sophie, en grand besoin, doivent encore attendre.

Aujourd'hui, la société, j'ai eu besoin de vous!

JOSÉPHINE ET CAPUCINE, LES DEUX PETITES SŒURS

▼

Il était une fois deux petites filles noires qui n'avaient ni père ni mère. Avec elles, j'ai développé une affection exceptionnelle et j'ai fini par jouer un rôle bien particulier dans leur vie. Aujourd'hui, elles sont âgées de 8 et de 12 ans, et ce sont deux enfants magnifiques, joyeuses et remplies de l'amour inconditionnel de leur grand-maman, qui leur a donné sa vie. Nous sommes à une époque où le rôle des grands-parents n'est pas bien reconnu. Selon la loi, ceux-ci sont sans droit auprès de leurs petits-enfants. Pourtant, dans la vraie vie, combien de grands-mamans et de grands-papas jouent encore un rôle primordial et privilégié dans la vie de leurs petits-enfants ! Dans l'histoire qui va suivre, l'attitude de la grand-mère fut considérée comme dépassée. On l'avait à l'œil.

L'histoire commence à Montréal, dans la communauté haïtienne. Nous sommes en 1993, année de naissance de Joséphine. Sa grand-maman, Rose-Anne, m'attend dans la salle d'attente du CLSC Côte-des-Neiges. Elle a été référée par une infirmière haïtienne qui l'assure que je pourrai l'aider. Elle vient de recevoir la visite de sa fille Gilberte qu'elle n'a pas revue depuis des mois et qui est venue lui confier un nouveau-né qu'elle ne peut pas garder. Rose-Anne me l'amène pour que je l'examine et pour que je la rassure au sujet de sa santé. En même temps, comme Rose-Anne est seule dans la vie, elle veut parler des événements qu'elle vit avec un médecin qu'elle considère comme la personne de confiance idéale.

Gilberte est sa fille cadette. Rose-Anne a eu quatre enfants, dont les trois premiers furent des garçons. Elle m'affirme qu'elle ne peut en aucun cas déranger ses fils qui sont éparpillés aux quatre coins du monde et qu'elle ne peut même pas joindre. Il semble qu'ils aient leur vie et leurs problèmes personnels. Il est hors de question de leur demander de l'aide. Sa fille Gilberte, elle, vit dans la rue depuis quelques années et ne voit sa mère qu'à l'occasion. Rose-Anne me laisse entendre que sa fille ne mène pas une bonne vie, et cela la chagrine au plus haut point. Cependant, jamais elle ne la blâme au cours de nos entretiens et je ne sens chez elle aucun jugement ou colère devant cette situation, seulement un lourd chagrin et une grande crainte pour sa fille.

Ainsi, quand Gilberte vient lui rendre visite, sans s'annoncer et en vitesse, elle la reçoit toujours comme une enfant prodigue, avec des égards et un grand bonheur. La dernière fois, Gilberte avait l'air traquée et elle n'est restée que quelques minutes, demandant à sa mère de garder l'enfant de façon temporaire et lui disant qu'elle viendrait le chercher sans faute dans quelques jours. Toutefois, Rose-Anne n'est pas dupe et, même si elle a déjà pris dans son cœur la décision de s'occuper de cette enfant, elle veut en parler à quelqu'un de confiance.

La petite fille a des cheveux bouclés, elle est calme et adorable. Elle a deux semaines et elle vient de sortir de l'hôpital dont elle garde encore le bracelet d'identification, trop grand pour elle puisqu'il lui couvre pratiquement tout le bras. Elle n'a pas encore de nom, sa mère ne lui ayant pas donné d'identité. Elle est née de père inconnu. La mère, elle, est trop dévastée pour prendre la charge d'un enfant. La petite vient de trouver un refuge et une nouvelle mère. Bientôt, elle aura aussi un nom, Joséphine, en souvenir d'une arrière-grand-mère qui a beaucoup compté dans la famille de Rose-Anne.

La décision de la grand-mère étant prise, il ne me restait qu'à l'encourager et à lui donner mon appui ainsi qu'à la rassurer sur l'état de santé de l'enfant. Elle m'informa que dans son milieu, les grands-mères sont très souvent interpellées pour « élever » les enfants. Il s'agit même d'un engagement culturel et familial à vie. C'était donc la « normale des choses » et elle s'y engageait tout naturellement, même si je sentais qu'étant donné qu'elle venait d'avoir 60 ans, elle aurait préféré continuer sa vie seule, avec ses souvenirs et ses peines.

Rose-Anne avait eu une vie bien remplie jusqu'à sa migration au Canada, une dizaine d'années plus tôt, « pour mettre sa famille en sécurité », me dit-elle. Au pays, c'était une femme sage, écoutée et consultée par tout le village. D'ailleurs, elle était issue d'une lignée de femmes sages qui possédaient une autorité morale importante sur leur entourage. Ce pouvoir ne leur était pas attribué d'office, mais il s'appuyait sur des qualités innées qui se transmettaient de génération en génération. On protégeait ces femmes, on leur confiait des secrets, on les consultait pour connaître leurs avis sur les choses importantes. On craignait aussi leur pouvoir et on évitait de les mettre en colère de crainte que de grands malheurs s'abattent sur soi et sur les familles. On disait que certaines familles vivaient dans la misère pendant plusieurs générations à cause de la colère de ces femmes sages, en réaction à des crimes commis par un aïeul. Rose-Anne avait cette sagesse et ce pouvoir.

Cependant, depuis son arrivée au Canada, elle vivait seule dans un appartement et les voisins ne la connaissaient que très peu. On parlait d'une vieille dame polie, ne sortant que par nécessité, ne parlant à personne et ne recevant pratiquement jamais de visiteurs. Une dame qui habitait le même immeuble et que je rencontrai dans l'ascenseur s'étonna de me voir me diriger chez Rose-Anne. À quelques reprises, cette dame avait entendu de drôles de bruits chez Rose-Anne pendant la nuit. Une fois, elle avait vu sur la porte des taches rouges : du sang peut-être ? Elle parlait, tout bas, de bizarreries et même de sorcelleries… Parfois, l'imagination nous fait penser de drôles de choses ! Je ne parlai jamais de ces racontars à Rose-Anne qui en aurait été blessée. Depuis douze ans que je la connais, j'ai toujours vu en elle une femme remarquable, d'une gentillesse inouïe et d'un courage exemplaire.

Gilberte était son dernier enfant, née juste après le décès de son époux, dans des circonstances tragiques comme il s'en trouve en Haïti et ailleurs dans le monde. D'emblée, Rose-Anne était convaincue que son mari étant mort parce qu'on avait voulu se venger d'elle. Comme elle faisait partie des rares personnes intouchables, elle croyait qu'on avait profité d'un conflit dans le village pour la punir en assassinant son mari.

Quand Gilberte est née, elle eut le sentiment très clair que le pouvoir transmis aux femmes de sa lignée venait de se rompre. Sa fille en était privée. Au début, elle essaya de ne pas y penser, mais par de petits signes qui ne trompaient pas, elle se rendit compte assez rapidement que l'enfant n'avait pas la grâce. Le don s'était tari. Gilberte faisait donc partie du monde ordinaire. C'est ce qui motiva son départ vers le Canada un peu plus tard. Elle voulait fuir la honte et le déshonneur de n'avoir pas transmis ce pouvoir à sa fille. C'était une longue tradition de famille qui s'interrompait ainsi. Rose-Anne se demandait ce qu'elle avait fait de mal pour mériter cela. Pour mieux le trouver, elle voulait s'éloigner de son pays adoré. Et, qui sait, peut-être allait-elle pouvoir expier quelque chose ?

Gilberte n'avait certes pas la sagesse de sa mère et de ses aïeules. Dès son plus jeune âge, c'était une enfant maladive. Au cours de sa petite enfance, elle avait attrapé de nombreuses infections (grippes, gastroentérite, etc.) en plus d'en subir les complications (pneumonies, déshydratation, hospitalisations). Elle faisait beaucoup d'eczéma, ce qui lui donnait d'atroces démangeaisons et qui laissait son corps parsemé de lésions de grattage. Son humeur en était affectée et elle était très irritable. À l'école, elle ne réussissait pas à apprendre et on diagnostiqua assez tôt des troubles du comportement. Elle fut vite dirigée vers une école TC (troubles du comportement) où elle s'engagea rapidement avec de mauvais amis et sur une mauvaise pente.

Les classes ou écoles TC sont des lieux de discipline et d'encadrement auquel le système scolaire fait appel quand rien ne va plus. On y trouve des enseignants spécialisés, accompagnés d'une équipe d'encadrement en particulier, des éducateurs spécialisés ou des psychoéducateurs qui font leur possible pour faire cheminer l'enfant qui a des problèmes. Il s'agit de classes à effectifs réduits qui sont habituellement organisées pour éviter les contacts étroits et les distractions. Les enfants y viennent pour plusieurs raisons : troubles d'hyperactivité, troubles d'opposition ou de conduite, comportements délinquants... ou autres. Certains ont des troubles d'apprentissage et cela les rend furieux, car ils sentent leurs limites et en sont révoltés. En plus d'avoir de la difficulté à apprendre, ils ont des troubles du comportement ; ce sont ceux qui sont les plus pénalisés par ce type de classe. En effet, l'accent étant mis sur la discipline, ils se révoltent de ne pouvoir apprendre et de subir la discipline des plus tannants. C'était le cas de Gilberte.

C'est dans cette école qu'elle allait commencer sa vie d'exclusion et d'itinérance. C'est à partir de là qu'elle se dirigea vers la rue pour ne plus en revenir. Ses premiers actes de délinquance furent de petits vols dans les dépanneurs et dans les grandes surfaces. Puis, elle commença à consommer des drogues douces, ensuite des drogues dures, puis elle fit quelques séjours dans

un centre d'accueil, mais elle n'y trouva que de nouvelles motivations pour fuir et de nouveaux compagnons pour poursuivre
sa route d'itinérance. Dès ses 18 ans, on la perdit de vue, mais
sa mère savait bien qu'elle vivait dans la rue et qu'elle prenait
des drogues puissantes. Pourtant, elle l'attendait patiemment.

Rose-Anne était désespérée par cette situation et elle s'iso-
lait de plus en plus. Elle ne sortait que pour le strict nécéssaire
et ne participait pas du tout à l'organisation de la société qui
l'accueillait. Elle avait tenté tout ce qu'elle pouvait pour ramener sa fille dans le droit chemin, sans succès. Elle était même
retournée en Haïti pour consulter des sages et elle était revenue
bredouille. Je fus la première personne qu'elle adopta ici comme
conseiller; cela se passa au moment où Gilberte lui apporta son
enfant. Rose-Anne me faisait confiance, mais malgré tout, je ne
partageais que quelques-uns de ses nombreux secrets.

Joséphine s'était trouvé une maman, car à vrai dire sa grand-
mère l'accueillait avec un immense espoir. Pour elle, c'était bien
sûr une question de valeurs et de culture, mais il y avait plus. En
effet, elle avait immédiatement reconnu chez cette enfant le
retour du don! Celui-ci avait sauté une génération, celle de
Gilberte. Rose-Anne vint donc me présenter Joséphine comme
sa propre fille, me disant que la vraie maman ne pouvait pas la
garder et qu'elle devenait sa maman et son guide pour toujours.

Cette enfant se portait à merveille. Je la voyais régulièrement.
Elle se développait de façon harmonieuse et était sage comme
une image. Ses premiers contes et dessins témoignaient de ses
aspirations et de sa noblesse. Ils représentaient volontiers des
châteaux et des princesses, des chevaliers et des amours gran-
dioses. Elle figurait toujours à l'avant-plan, en tenue de reine,
avec à la main un bâton magique qui lui permettait de faire
régner l'ordre. On venait de partout pour l'admirer ou pour la
défendre. On sentait chez elle un grand pouvoir moral. C'était
une enfant aimable à tous points de vue.

À chaque visite, Rose-Anne s'organisait pour me parler de quelque chose de précis, en plus de venir pour l'examen de l'enfant. Tantôt, elle apportait une liasse de papiers du gouvernement ou de l'école afin que je les déchiffre pour elle ou que je les interprète. D'autres fois, elle me parlait du regard méfiant de certaines personnes de son entourage ou de menaces de voisins jaloux, disait-elle. Elle me demandait des conseils pour plusieurs détails de sa vie quotidienne et pour sa fille, et j'en vins à lui servir de guide dans ce monde qui lui était étranger. L'examen de l'enfant se faisait rapidement puisqu'elle était en bonne santé. Dès que cet examen était terminé, Rose-Anne entamait une sorte de rituel : d'abord, elle fouillait dans son sac pour y chercher quelque chose ; puis, elle faisait mine d'oublier de quoi il s'agissait ; et soudain, après quelques minutes de recherche ardue, elle retrouvait l'objet en question et on pouvait alors discuter. J'acceptais volontiers de l'aider dans la lecture de ses papiers, car Joséphine venait à peine de commencer à lire, et plutôt que de la laisser tenter de décoder ces papiers pour sa grand-mère, je préférais le faire moi-même, surtout pour les questions importantes. Enfin, il faut dire que Rose-Anne aimait sans doute étirer un peu le temps passé dans mon bureau, car elle n'avait jamais l'occasion de converser.

Joséphine avait 5 ans et, à ma suggestion, elle avait commencé l'école depuis un an. En effet, la grand-maman aurait voulu la garder encore avec elle. Pour ma part, je croyais qu'il était temps de sortir l'enfant de la maison pour qu'elle se fasse des amis et qu'elle commence à apprendre diverses choses. J'avais dû insister un peu et, malgré son hésitation et ses craintes, elle avait fini par suivre mon conseil. Elle hésitait à confier son petit trésor à d'autres et elle se méfiait d'une société qui se départit de ses enfants alors qu'ils sont si jeunes.

On avait souvent parlé de cette question et elle était d'avis que les enfants ne doivent pas être embrigadés trop vite dans des règles et des consignes, à l'âge où ils peuvent encore vivre de rêves et d'imagination. Pour elle, il était toujours temps de les exposer à une vie plus sérieuse. Par contre, Joséphine me semblait prête, car elle commençait à s'ennuyer de vivre à la maison. De plus, notre société étant ce qu'elle est, il aurait sans doute paru suspect de ne pas envoyer l'enfant à l'école et cela aurait pu lui attirer des ennuis. Comme nous allons le voir par la suite, notre décision fut la bonne.

Quelques semaines après la rentrée scolaire de Joséphine, Rose-Anne me laissa un message me demandant de l'appeler de toute urgence. C'était d'autant plus étonnant que d'habitude, elle était patiente et se conformait aux règles. Elle prenait toujours rendez-vous, même dans les moments plus urgents. Elle s'assoyait alors dans la salle d'attente du CLSC (ou plus tard de notre clinique communautaire) et elle attendait patiemment que je sois disponible, s'excusant de me déranger de la sorte. À la suite de son appel d'urgence, je passai la voir à son domicile, car elle habitait tout près. À la porte, j'entendis un bébé pleurer. Joséphine vint m'ouvrir et elle afficha un grand sourire en me disant que, la nuit dernière, elle avait reçu une petite sœur !

En effet, Gilberte s'était présentée tard la veille avec un autre petit bébé. Elle était repartie sans laisser d'adresse. Encore une fois, c'était une fille. Et encore une fois, Rose Anne se jura de prendre soin de cet enfant, se disant que cela occuperait Joséphine, tout en se promettant aussi que ce serait le dernier. Elle se sentait trop vieille pour recommencer une nouvelle famille. Depuis quelque temps d'ailleurs, elle était malade et souffrait de douleurs articulaires qui l'empêchaient souvent de bouger. Elle peinait à monter la Côte-des-Neiges pour faire ses courses ou pour conduire sa petite-fille à l'école. Certains matins, elle avait même du mal à sortir de son lit. Ce serait donc Joséphine qui devrait soutenir la grand-mère pour élever cette nouvelle venue. Je serais de nouveau le pédiatre de l'enfant qu'elle finit par nommer Capucine.

La question du nom avait été laborieuse, ce que je ne comprends jamais tout à fait. Au début, à chaque visite, l'enfant semblait porter un nom différent, comme si la grand-maman testait des noms pour bien s'assurer de son identité. Je ne savais plus moi-même comment la nommer, et ce n'est que quelques semaines plus tard que le nom de Capucine apparut comme étant le bon. Peut-être avait-elle consulté des gens de sa famille, des sages ou des esprits, avant de finir par déterminer l'identité officielle de l'enfant? Jamais elle ne me donna d'explications. Cela faisait partie de ses secrets.

Cette enfant avait du caractère. Elle se présentait comme totalement différente de Joséphine, sa sœur aînée. Elle avait un beau teint, de grands yeux noirs perçants et savait exactement ce qu'elle voulait. On savait immédiatement si elle avait faim, si sa couche était souillée ou si elle voulait dormir ou se lever. Elle exprimait très bien ses besoins et elle avait adopté d'emblée Joséphine comme étant sa vraie mère. Seule Joséphine pouvait la comprendre. Il n'y avait qu'elle pour la consoler ou pour la faire rire. C'est aussi elle qui, plus tard, allait la faire parler et courir. Moi, elle me fuyait comme la peste et je n'ai jamais pu l'approcher ou l'examiner sans subir de fortes crises. Dès qu'elle m'apercevait, c'était la crise jusqu'à ce qu'elle ressorte de mon bureau et du CLSC. Ce n'est que vers l'âge de 4 ans qu'elle finit par me sourire et par m'accepter, en riant de façon moqueuse, comme si elle m'avait bien eu.

Cependant, tout se passait pour le mieux et l'harmonie semblait régner dans cette famille, si ce n'était la persistance des douleurs de la grand-mère qui souffrait de plus en plus. Je la référai en orthopédie et on décida d'abord de la traiter avec des médicaments pour la soulager temporairement, puis on détermina qu'il fallait aussi l'opérer dans un bras. Cette intervention nécessiterait une hospitalisation de trois semaines et elle serait ensuite immobilisée pendant autant de temps. Rose-Anne était sur une liste d'attente. J'appréhendais cette période, car il faudrait alors trouver quelqu'un pour remplacer la grand-mère auprès des enfants et pour la soutenir ensuite dans sa convalescence. Il n'y avait pas de famille disponible et pas d'amis, car elle vivait complètement isolée. Il faudrait inventer des solutions.

Pour le moment, Joséphine allait à l'école, elle se comportait bien et s'y faisait des amis. Elle apprenait à une vitesse étonnante malgré les nombreuses tâches ménagères qu'elle devait effectuer à la maison et malgré son rôle prenant auprès de sa petite sœur. Celle-ci se portait à merveille, elle gagnait du poids et de la forme, même si son caractère fort et imposant restait le même. Les deux enfants étaient toujours habillées de façon impeccable, avec une touche de fantaisie qui les démarquait des autres, des bijoux fantaisistes dans leurs cheveux, des tresses élaborées, des couleurs assorties. Elles étaient d'une propreté et d'une politesse remarquables, comme on en voit rarement de nos jours. Joséphine, entre toutes, faisait preuve d'une sagesse et d'une noblesse hors du commun. Elle était digne, c'était la grande, la responsable. La grand-maman gardait le cap et consacrait toute son énergie à ces deux merveilleux enfants. Rien ne laissait présager l'avis qui lui arriva par la poste un bon matin, et dont elle ne comprit immédiatement le sens.

Tout de suite, cependant, l'en-tête de la lettre l'inquiéta. On y lisait *Centre jeunesse de Montréal*. Rose-Anne s'empressa donc de m'apporter cette lettre importante par laquelle on la convoquait pour le lendemain même. On lui signifiait que, malgré des appels téléphoniques répétés, elle n'avait pas donné suite. Maintenant, on lui demandait de se présenter au bureau central dès le jour suivant avec les deux enfants, à neuf heures du matin. L'inquiétude et l'étonnement se lisaient sur son visage et elle me demanda ce qu'elle avait bien pu faire de mal pour recevoir une telle missive! Le temps la rattrapait et le système aussi, elle qui vivait dans une bulle depuis si longtemps. Il fallait que quelqu'un l'accompagne à ce rendez-vous et l'infirmière qui me l'avait référée accepta amicalement de s'y rendre. J'avais des craintes secrètes, et je n'en parlai pas à Rose-Anne, bien sûr ; mais elles n'allaient pas tarder à se confirmer.

On l'avait « signalée » et les notes de l'intervenante faisaient état de l'âge de la dame, ce qui, d'après eux, faisait courir des risques aux enfants, maintenant et surtout dans l'avenir. Qu'adviendrait-il si Rose-Anne tombait malade subitement ? Qui garderait ses enfants si elle mourait tout d'un coup ? Quel statut légal avait-elle ? La société, par l'entremise de son Centre jeunesse, voulait prévenir tout ça, selon son rôle de grand protecteur des enfants de ce monde. J'appris plus tard que le signalement avait été fait par une travailleuse sociale du CLSC qui trouvait inconcevable qu'une grand-mère de cet âge s'occupe de jeunes enfants « avec tous les dangers que cela comporte », affirmait-elle. On ne regardait pas le travail et le dévouement de cette dame envers ses petits-enfants ! On faisait fi des habitudes culturelles et du rôle privilégié des grands-mamans chez les Haïtiens ! On ne s'occupait pas du lien intense qui s'était tissé entre elle et ses petites ! Et on évacuait d'emblée l'ensemble des grands-parents dans leur rôle de gardiens des valeurs familiales. On niait leur importance pour suppléer au rôle des parents quand ceux-ci sont dans une incapacité temporaire ou permanente. Il y avait dans ce signalement des jugements culturels et des relents de discrimination qui concernaient l'âge et peut-être même la race.

Ce fut une bataille longue et ardue qui aboutit à une rencontre multidisciplinaire à laquelle je fus convoqué, avant que tout cela se retrouve au tribunal. Devant une douzaine de personnes, travailleurs sociaux, éducatrices, psychologue et superviseurs, nous étions trois pour soutenir Rose-Anne ; l'infirmière et une travailleuse sociale, toutes deux Haïtiennes d'origine, ainsi que moi-même. Et Rose-Anne n'était même pas invitée ! Devant notre étonnement à ce sujet, on nous répondit qu'il valait mieux une rencontre entre intervenants... Nous étions soutenus par un avocat qui, lui aussi, était prêt à se battre pour la cause. La balance finit par pencher en faveur de la grand-mère, étant donné notre soutien indéfectible et surtout notre détermination à lutter jusqu'au bout pour sauvegarder cette famille et préserver ses liens. Toutefois, on nous avertit que les tenants de la loi restaient aux aguets et qu'à la première difficulté, ils reviendraient à la charge.

Pour comble de malheur, on annonça à Rose-Anne qu'elle devait se présenter à l'hôpital dès le dimanche suivant pour subir son intervention chirurgicale. Il fallait donc trouver de toute urgence quelqu'un pour s'occuper des enfants à plein temps sans éveiller les soupçons de la DPJ. Ce ne fut pas une mince affaire. J'obtins du CLSC, grâce à son directeur général fort compréhensif, un montant d'argent pour aider temporairement la famille. Il fallait trouver quelqu'un qui s'engage toute la journée pour la garde, les soins, les repas et le voyagement à l'école en toute sécurité. La première dame qui s'engagea s'épuisa au bout d'une semaine. Puis, grâce au réseau haïtien, une femme dévouée, grand-mère elle aussi, accepta de nous dépanner le temps qu'il fallait. Cette fois, tout se passa bien et il n'y eut pas de fuite d'information. Rose-Anne récupéra et, se sentant en sécurité, elle revint même plus tôt à sa tâche. Quoique se disant choyée, elle n'aimait pas que quelqu'un d'autre se mêle de ses affaires et elle voulait reprendre au plus tôt le contrôle de sa famille.

Nous l'avions échappé belle ! Et il s'en était fallu de peu pour qu'on enlève ses enfants à Rose-Anne et que les deux petites filles soient placées sans aucune garantie de vivre ensemble. En effet, c'était là le plan initial, car on voulait procéder de manière préventive. Une des intervenantes ne m'avait-elle pas dit qu'il valait mieux agir maintenant et donner le coup tout de suite plutôt qu'en situation d'urgence ? On aurait donc séparé la grand-mère de ses petites-filles, même si c'était la seule mère qu'elles aient eue en ce monde ! Et on aurait séparé les deux sœurs, pourtant si étroitement liées, occasionnant ce faisant des coupures identitaires et culturelles profondes, en pensant bêtement qu'étant jeunes, elles allaient oublier et recomposer leur vie sur un tas de paille, sans base !

Pendant l'hiver qui suivit, Capucine fréquenta une garderie pour donner un peu de répit à sa grand-maman. Elle était maintenant âgée de 2 1/2 ans. Lors d'une rare visite de sa mère naturelle, on apprit qu'elle avait un père. Cet homme, qui au départ ne voulait rien savoir de son bébé, était maintenant disposé à la voir. Et la mère se rappelait que les dates correspondaient. Il avait retrouvé Gilberte dans la rue et l'avait suppliée, moyennant une compensation financière minime, de lui faire voir son enfant. Elle en parla à Rose-Anne qui émit une fin de non-recevoir. Personne n'allait approcher ses enfants, surtout pas un étranger de la Côte-Nord qui avait profité de Gilberte au passage et l'avait aussitôt abandonnée. On n'en entendit plus parler par la suite et l'affaire sembla close.

Pourtant, quelques années plus tard, quand Capucine eut 5 ans, Rose-Anne m'apporta une nouvelle lettre officielle et inquiétante qui lui signifiait que le père allait faire reconnaître sa paternité et qu'elle devrait collaborer. Elle n'avait pas le choix, car l'ADN prouvait hors de tout doute qu'il était bel et bien le père. D'ailleurs, il l'avisait qu'il souhaitait faire reconnaître aussi ses droits sur l'enfant. À la demande de la grand-mère, je le rencontrai et il m'affirma avoir maintenant une vie stable et la possibilité de s'occuper de son enfant. Depuis un an, il vivait avec une femme et il était sur le point de s'acheter une maison, ce qui suffisait à en faire un père adéquat, selon ses normes à lui. Je lui proposai de faire les contacts doucement et progressivement. Je lui dis qu'il devait apprivoiser l'enfant qui ne le connaissait pas, ainsi que la grand-maman qui s'en méfiait et qui avait tout sacrifié pour sa petite-fille au moment où lui n'était pas encore prêt à le faire. Elle avait sauvé cette enfant et il ne l'aurait probablement jamais revue si cette femme n'en avait pris entièrement la charge. Cela, à mon avis, l'obligeait au plus grand des respects.

Au début, elle refusa de le voir, car elle considérait que c'était un étranger et elle était plutôt farouche avec les étrangers. Je dois dire qu'il me fallut cinq ans pour obtenir mes lettres de noblesse et que je pouvais maintenant l'approcher, la faire rire et la faire parler. Or, même si cet homme était le père naturel, il devait lui aussi se faire connaître patiemment. Il avait donc une forte pente à remonter puisqu'il prétendait à la cadette de la famille. Par la suite, elle accepta de le voir à la condition que Joséphine vienne avec elle, comme une sorte de sécurité ou de chaperon. Plus récemment, le père a demandé à voir son enfant seule et il est même en démarche légale pour en obtenir la garde officielle.

Rose-Anne est atterrée. Elle sent qu'on lui arrache l'une de ses deux raisons de vivre, et elle veut en même temps que son enfant soit en sécurité. Joséphine, elle, à 13 ans, est maintenant une grande fille, presque complètement autonome, mais elle est désespérée à l'idée que l'on brise le lien entre elle et sa petite sœur. Elle aussi est triste par les temps qui courent. Jadis toujours souriante et insouciante, on la sent maintenant songeuse. Elle appréhende ce qui va se passer et elle est convaincue que le père obtiendra ce qu'il veut au détriment de la grand-mère et qu'elles n'auront rien à dire, car on ne leur demandera même pas leur avis.

Quant à Capucine, elle ne sait que penser. On l'a poussée à voir un inconnu, soi-disant son père. Elle a fait des efforts pour s'intéresser à lui et les sorties avec lui étaient agréables. En compagnie de sa grande sœur, ils allaient voir des choses qu'elles n'avaient jamais vues. Ils partaient tous ensemble au restaurant et découvraient des tas de nouveaux aliments. De plus, l'homme lui apportait toujours un cadeau. Cependant, Capucine ne veut pas pour autant perdre sa grand-mère, sa maman comme elle l'appelle. Elle veut lui être fidèle. Maintenant, elle aussi a de la peine. Son doux bonheur d'autrefois semble désormais évanoui.

Récemment, Rose-Anne m'a confié, en larmes, qu'elle se demandait bien pourquoi on s'acharnait ainsi sur elle puisqu'elle n'avait fait que du bien aux enfants. «Est-ce là ma récompense?», me dit-elle un jour, complètement effondrée. Bientôt, Rose-Anne doit subir une évaluation psychosociale pour démontrer ses compétences. Elle n'en dort plus la nuit et elle voudrait tout annuler, mais c'est impossible, car les gens de loi l'ont exigé et ce sont eux qui vont décider de son sort. Est-ce ainsi que les hommes vivent? Et pourquoi une grand-mère qui a tant fait pour les siens n'a-t-elle pas droit à plus de justice et à moins de peines, surtout vers la fin de sa vie alors qu'elle a encore tant à donner?

LINDA, CELLE QUI VOULAIT TOUT CHANGER !

▼

Je changerais tout !
Tout de quoi ?
Tout de ma vie…

Voilà ce que Linda répétait à qui voulait l'entendre, sans même qu'on lui pose de question, sans qu'on la sollicite. C'était vraiment ce qu'elle ressentait. Un jour, à la télévision, on lui demanda ce qu'elle changerait si elle avait une baguette magique et sa réponse fut encore : « Tout ». Comme cela arrivait souvent, elle avait alors un éclair dans les yeux et sa réponse était suivie d'un grand rire.

Pourtant, Linda était belle, éclatante même, avec de grands yeux verts, l'air intelligent et une présence à faire tomber quiconque sous son charme. Elle éclatait d'un rire tonitruant ou encore, à l'opposé, elle se mettait dans un état de tristesse indicible et extrêmement communicatif. On ne pouvait pas prévoir ses humeurs ni ses façons de nous dévisager et de nous embarquer dans ses visions et ses rêves. Elle disait vivre un calvaire avec ses proches, mais on ne savait pas vraiment ce qui était vérité et ce qui était fabulation, ou encore artifice pour se faire entendre. Mais peu importe, car au fond on la sentait fragile et vulnérable, et elle méritait qu'on lui accorde de l'attention.

Nous avons fait sa connaissance lors des retrouvailles entre sa sœur aînée, Maryse, et la famille naturelle de celle-ci, dont elle avait perdu trace depuis des années. En découvrant sa famille, Maryse avait hérité d'une petite sœur : Linda.

Je connaissais déjà Maryse qui avait trois enfants, mais qui n'avait pas connu son père et très peu sa mère. Toute jeune, on l'avait placée dans une famille d'accueil. Elle n'avait pas reçu beaucoup d'amour au cours de son enfance bien qu'elle n'aie manqué de rien d'essentiel. Ce n'était pas une enfant facile et elle avait quitté l'école dès qu'elle avait pu. Elle était partie vivre en appartement dès l'âge de 16 ans, « pour soulager ma famille d'accueil et pour vivre ma vie », m'avait-elle dit.

Après quelques années de vagabondage et d'expériences pas toujours heureuses, elle avait rencontré un homme un peu plus vieux qu'elle, qui lui avait offert « la lune » : des sorties au restaurant, des bijoux et des robes à son goût, ainsi que des promesses bien emballées. Elle était heureuse, plus qu'elle ne l'avait jamais espéré. Elle se sentait aimée pour elle-même, appréciée à sa valeur et soutenue par quelqu'un de plus fort qu'elle. Elle avait coupé tout lien avec sa famille d'accueil, disant que ces gens ne l'avaient jamais aimée et qu'elle ne s'y était jamais sentie à l'aise. Enfin, son nouvel amoureux comblait son existence et son immense besoin d'amour, et lui aussi y trouvait son compte de sorte qu'ils vécurent ensemble de belles années, pendant lesquelles ils eurent trois beaux enfants.

Maryse avait-elle découvert l'amour ? En tout cas, elle n'avait pas hésité à faire des enfants pour exprimer au monde son bonheur et sa chance de s'en être sortie malgré un contexte des moins favorables. Elle était une gagnante et elle allait le prouver. Elle m'arriva donc un jour avec deux enfants qu'elle chérissait plus que tout et dont elle voulait que je m'occupe. Selon elle, il fallait que je sois leur pédiatre pour ne pas qu'il leur arrive ce qui lui était arrivé. C'étaient des enfants en bonne santé, ils étaient complètement attachés à leur mère et ne manquaient de rien, surtout pas d'amour. Le conjoint n'était pas présent et je ne le vis pas avant longtemps, mais Maryse m'affirmait qu'il était parfait, qu'il travaillait beaucoup et qu'il était très peu disponible. Elle l'aimait et elle ne voulait pas m'en dire davantage, ni que je pose trop de questions.

J'avais connu Maryse assez jeune, quand elle habitait encore dans sa famille d'accueil. Elle avait des problèmes à l'école et elle ne progressait pas beaucoup dans les matières scolaires. On la trouvait arrogante et « contrôlante ». Habituellement, elle refusait de travailler et elle faisait un peu la loi dans la cour de récréation. Elle disait détester l'école et vouloir s'en aller faire autre chose. Elle y arriva en se faisant de plus en plus impolie et insultante envers les enseignantes, les qualifiant de noms grossiers ou les envoyant carrément paître. La famille d'accueil n'en pouvant plus, il fut un temps question de la déplacer vers une autre ressource, comme un foyer de groupe. Maryse s'y refusait obstinément et, à ma grande surprise, elle fut peinée d'apprendre qu'on voulait se débarrasser d'elle de cette manière. Elle fut blessée d'apprendre que sa seule famille au monde ne tenait pas davantage à elle. Pour la première fois, elle me parla de son désir de retrouver des membres de sa vraie famille en pensant naïvement qu'eux, au moins, ne la jetteraient pas dehors et qu'elle se sentirait enfin aimée.

C'était une jeune fille intelligente et rieuse quand elle n'était pas encadrée de façon serrée comme à l'école. Elle aimait les gens et adorait sortir. Elle se faisait facilement des amis et les garçons lui couraient après, l'un après l'autre. À ce point de vue, je la savais facile d'accès et je m'en étais souvent inquiété, lui proposant des méthodes de contraception qu'elle refusait systématiquement, m'affirmant toujours que, pour le moment, elle n'en avait pas besoin. Elle fit ainsi son chemin jusqu'à la rupture d'avec sa famille d'accueil, et je la perdis de vue, pendant quelques années. Ce furent pour elle des années difficiles, mais elle n'en parla jamais avec moi, préférant oublier cette période de sa vie.

Dans ce genre de situation, il arrive fréquemment qu'un enfant mal aimé parte à la recherche de sa famille naturelle, se la représentant comme un paradis perdu. L'enfant fait une quête ultime pour retrouver des proches qui l'ont abandonné ou trompé en bas âge. La trajectoire est semblable pour plusieurs d'entre eux. Ils commencent souvent par se mettre en colère contre leurs proches, par s'opposer à eux en faisant des crises à la maison, en insultant les enseignants ou en agressant leurs camarades dans la cour d'école. Puis, suivent des ruptures, des brisures et des rejets, avant qu'ils prennent la fuite et cherchent ailleurs l'impossible lien qui n'apparaitra jamais ou si rarement. Après, s'ensuivent la désaffection, la démotivation et la douleur, tout cela risquant de faire basculer la personne dans la drogue, la prostitution, la délinquance. C'est ainsi que l'on se venge de son destin et que l'on s'arrange pour souffrir encore plus. En de rares occasions, un sauvetage est possible lorsque la personne découvre la lumière, l'âme sœur ou simplement des circonstances de vie constructives.

Maryse me confia un jour qu'elle recherchait sa famille naturelle pour leur montrer à quel point elle était heureuse, malgré eux. Elle me dit qu'étant donné que ce serait sa «vraie famille», elle accepterait de partager son bonheur.

Elle entreprit des démarches pour retrouver son père, car elle venait de découvrir que sa mère était décédée quelques années auparavant sans laisser de trace. Elle suivit plusieurs pistes qui, à sa grande déception, n'aboutirent pas. En fin de compte et à court de ressources, elle décida de faire appel à une émission de télévision animée par Claire Lamarche et consacrée à la recherche de familles perdues. Un jour, elle reçut un appel lui annonçant la bonne nouvelle : on avait retrouvé son père et il acceptait de la rencontrer à l'émission, sous le feu des projecteurs. Elle était comblée, bien sûr, mais si anxieuse à l'idée de cette rencontre ! Qu'allait dire son père ? Allait-il la reconnaître ? Allait-il être déçu ? Et elle, comment réagirait-elle ? Arriverait-elle à parler ? Se jetterait-elle dans ses bras ? Déjà, elle lui avait tout pardonné et elle était prête à faire mille concessions pour ne pas le perdre à nouveau.

Le grand jour arriva et elle se fit belle. Ce serait une surprise et un grand moment pendant que des milliers de voyeurs allaient la regarder de près, scrutant sa moindre émotion et partageant cette grande victoire. C'était le prix à payer pour revoir enfin son père et elle s'y prêtait de bonne grâce. Ce fut un succès sur toute la ligne. Elle rencontra un père un peu vieux, qui était passé à autre chose depuis longtemps et qui avait fondé une nouvelle famille. Il se présenta devant les caméras avec sa conjointe et ses deux enfants que Maryse adopta tout de suite comme étant son frère et sa sœur. Les larmes coulèrent et les embrassades n'en finirent plus, au point qu'on dut les chasser du plateau.

On s'émeut facilement à la télévision, mais il faut que ce soit court et direct. On se lasse vite, car on veut toujours plus d'émotion et, surtout, de nouvelles émotions. C'est l'art de la consommation, surtout quand il s'agit des sentiments des autres. C'est la condition de la téléréalité. On veut bien pleurer pourvu que cela ne nous entraîne pas trop loin.

La lune de miel entre Maryse et sa famille naturelle dura quelques mois. Maryse avait surtout trouvé une petite sœur, Linda. Elle en tomba complètement amoureuse et la voulut auprès d'elle. Linda avait 9 ans et elle était belle comme un cœur. Les retrouvailles allaient si bien que la famille déménagea à Montréal pour se trouver encore plus près de cette fille prodigue. Ils débarquèrent donc, un de ces matins, sans un sou, avec très peu de bagages et pas de travail. Ces gens voulaient vivre dans l'entourage de Maryse qui accepta de bonne grâce de les dépanner. Après tout, ils étaient de la famille et venaient expressément pour se rapprocher d'elle. Elle était comblée.

Cependant, Linda commença à lui faire certaines confidences au sujet de sa vie. Avec son père, sa mère et son frère, elle avait habité ces dernières années près de Trois-Rivières dans un appartement assez rudimentaire. Ils bénéficiaient de l'aide sociale et n'arrivaient jamais à tenir plus de deux semaines par mois pour la nourriture, de sorte qu'ils passaient souvent plusieurs jours sans manger. Il y avait beaucoup de chicanes entre les conjoints, habituellement à cause de la forte consommation d'alcool et de marijuana, mais aussi des questions d'argent qui refaisaient toujours surface. Le père jouait souvent aux courses et la plupart du temps il misait perdant, ce qui ne faisait qu'envenimer les choses.

Pour ce qui est des enfants, ils n'avaient rien à dire et on les ignorait la plupart du temps. Le garçon, âgé de 7 ans, était assez renfermé et plutôt colérique. Il parlait peu et préférait rester à la maison avec ses jeux plutôt que d'aller à l'extérieur. Le changement qui venait de se produire l'affectait peu et il n'en attendait rien. Peut-être était-il le plus lucide d'entre tous ? Linda, elle, en avait ras le bol et présentait de gros problèmes de comportement qui nuisaient à sa socialisation et à ses résultats scolaires. Il semble que la DPJ soit intervenu à plusieurs reprises dans cette famille sans qu'il y aie de changements notables ou durables.

Par conséquent, l'arrivée à Montréal dans un nouveau milieu et loin du passé, à la suite de ces retrouvailles bénies, représentait pour tous un espoir de renouveau.

Au cours des premiers mois, Maryse passa beaucoup de temps avec son père et plus encore avec Linda, qu'elle prenait chez elle la plupart du temps. Elles étaient devenues de grandes amies, elles jasaient jusqu'aux petites heures du matin et s'adoraient. Maryse voulait s'assurer que sa petite sœur ne manquait de rien et qu'elle mangeait à sa faim. Elle me confia que le père rejetait cette enfant, qu'il ne l'aimait pas et qu'il n'en avait que pour son fils qui passait en priorité pour tout. Linda devait donc se contenter littéralement des restes, quand restes il y avait. Cela désolait Maryse et elle se donnait donc comme mission de sauver Linda, car elle se reconnaissait beaucoup en elle.

Elle garda un bon contact avec son père malgré l'attitude hostile qu'il avait envers sa sœur. Celui-ci refusait d'aborder cette question et Maryse préféra ne pas insister. Elle choisit plutôt d'entretenir deux relations parallèles, l'une avec sa sœur et l'autre avec son père. Quant à la conjointe du père, il n'y eut jamais d'atomes crochus entre elle et Maryse. Cette femme se montrait même méfiante et jalouse envers Maryse, et ce de façon insidieuse. Elle n'appréciait pas du tout le lien que le père essayait de tisser avec sa fille. Elle se sentait délaissée, ce qui la rendait amère et désagréable. Elle appréciait encore moins l'intense relation qui se développait entre les deux sœurs, Maryse et Linda. Elle détestait les voir s'amuser et rire aux éclats à la moindre occasion. Elle acceptait mal l'influence grandissante de Maryse sur sa petite sœur. Voyant celle-ci s'affirmer de plus en plus et s'épanouir, elle semblait en ressentir une profonde jalousie. À plusieurs reprises, elle essaya de mettre fin à cette relation, mais le père l'en empêcha chaque fois, ce qui ne fit qu'empirer les choses. Bientôt, elle cessa complètement de voir Maryse et commença même à la calomnier.

Pendant ce temps, j'avais moi aussi créé un lien avec Linda. Elle m'avait été présentée par Maryse en tant que grande sœur bien avant que je rencontre ses parents. Nous avions convenu de la suivre dans nos services pour l'aider à l'école puisqu'elle avait déjà accumulé de grands retards et qu'elle ne s'intéressait plus aux matières scolaires depuis longtemps. On souhaitait aussi la sortir de chez elle le plus souvent possible pour qu'elle soit bien nourrie et qu'elle évolue dans un monde de connaissances et d'amitié, ainsi que pour la motiver afin qu'elle se développe bien. Maryse était heureuse de savoir sa petite sœur en sécurité et choyée quand elle ne pouvait pas s'en occuper.

Dès le départ, Linda se montra intéressée par tout. Elle donnait l'impression de vouloir tout faire et tout rattraper en même temps. Elle était radieuse et charmante, tout le contraire de ce que ses parents décrivaient. Nous nous attachions tous à elle, et elle-même commençait à dire à son entourage qu'elle s'était enfin trouvé une vraie famille. Maryse retrouvait sa famille naturelle au moment même où Linda perdait la sienne pour s'en trouver une nouvelle, non naturelle ! Rien n'était simple, surtout qu'elle continuait à nous témoigner son angoisse de se trouver à la maison car, disait-elle, « on me considère là-bas comme une moins que rien et même une bonne à tout faire ! »

Je voulus en savoir davantage. En effet, Maryse ne cessait d'affirmer que Linda vivait un enfer chez elle, qu'elle manquait de tout, de vêtements et de nourriture, qu'elle n'avait même pas de place, ni de lit, ni de chambre. Je finis par rencontrer les deux parents qui nièrent tout en bloc, essayant même de me convaincre qu'ils faisaient tout pour leur fille et qu'elle ne manquait absolument de rien. Selon eux, celle-ci exagérait et inventait même des choses pour attirer l'attention et pour se faire plaindre. Pourtant, quand, pendant de courts moments, le masque de la fillette tombait et qu'elle se laissait aller à exprimer des sentiments intimes, elle devenait toujours triste et pensive, des larmes coulaient doucement sur son visage et elle ne parlait plus. Puis, aussi soudainement que les larmes étaient apparues, la jeune fille se recomposait un air de fille joyeuse, éclatait d'un grand rire et nous invitait à lui montrer quelque chose de nouveau, quand elle ne se mettait pas à taquiner un camarade.

Plusieurs mois passèrent ainsi et la situation familiale ne fit que se détériorer. Les parents ne sortaient presque jamais de leur logement insalubre, ils consommaient plusieurs substances dangereuses et ils reçurent des visites de la DPJ. On y constata une certaine misère et une grande pauvreté, mais rien qui justifiât une intervention plus musclée. D'ailleurs, les parents, qui étaient eux-mêmes assez manipulateurs, réussissaient à montrer patte blanche et à attirer la pitié, jusqu'à la prochaine visite. Entre temps, Maryse avait coupé tout lien avec son père. Quelqu'un, de façon anonyme, avait dénoncé le conjoint de Maryse en prétendant qu'il faisait un travail illicite. Maryse était convaincue que cette dénonciation venait de sa belle-mère qui voulait se venger et qui avait convaincu son père d'en faire autant. Les couteaux volaient bas et le fossé s'élargissait entre Maryse et sa famille retrouvée.

Maintenant, on défendait à Maryse de fréquenter sa petite sœur sous prétexte qu'elle avait une mauvaise influence sur elle. Maryse était outrée. Pour garder contact avec Linda, elle venait à notre clinique, mais cela n'allait pas durer. Linda se désespérait et, quoiqu'elle gardât son éclat, elle commençait à parler de fugues pour aller retrouver sa sœur et pour « fuir ce milieu dégueulasse », disait-elle. « Ils ne se lavent plus et ils traînent ivres morts toute la journée », nous répétait-elle souvent. « Je n'en peux plus de les torcher et de crever de faim. Je veux vivre comme tout le monde, je veux avoir plus qu'un pantalon déchiré à me mettre le matin, je veux manger quand j'ai faim, je veux vivre », s'exclama-t-elle un soir qu'elle refusait de retourner à la maison. Pour la première fois, elle avait des sanglots dans la voix et de grosses larmes coulaient sans arrêt sur ses joues.

À un certain moment, constatant le danger imminent de fugue et de traumatismes plus graves, nous fîmes appel à la DPJ pour demander de l'aide et pour atténuer temporairement les difficultés de l'enfant. Linda souhaitait vivre chez sa sœur et celle-ci était prête à la prendre avec elle. Cela semblait la meilleure solution, que seule une autorité légale pouvait sanctionner. Cependant, on nous répondit qu'il y avait eu un signalement récemment et que le dossier avait été fermé. On n'allait pas intervenir de nouveau à moins que des faits nouveaux ne surviennent. S'il y avait fugue, on pourrait appeler la police. Point de prévention dans ce genre de service! Que des interventions de crises, après le drame! Car bien sûr, il faut un drame pour agir...

Les services sont ainsi conçus que les solutions les plus simples sont souvent les plus difficiles à mettre en place. On règle les dossiers à distance, on fait des contrôles loin des milieux de vie et on impose des normes aveugles. Il devient difficile, voire impossible, de régler les difficultés de vie des enfants en faisant usage de gros bon sens et en appliquant des solutions simples. En général, le service se défend bien en situation de crises ou de drames, quand l'urgence d'agir ne fait pas de doute et que les moyens à prendre sont évidents. Par exemple, si un enfant est victime d'agression physique, il faut le mettre en sécurité et le retirer du contact avec l'agresseur. Par contre, s'il s'agit d'assurer le bien-être d'un enfant et de faire des actions préventives, les moyens sont moins évidents et il devient difficile d'agir selon les règles. Il faut alors se creuser les méninges pour comprendre la situation, consulter les proches, mobiliser le milieu et la famille élargie, et trouver des solutions qui répondent à l'ensemble des besoins de l'enfant. Là, ça se complique, car pour bien servir les besoins d'un enfant, il faut partager l'information et le pouvoir, et on n'est pas toujours prêt à entreprendre des démarches aussi « risquées » dans les services de protection de la jeunesse.

Le temps filait. Linda avait 12 ans et il ne se passait rien. La même routine, les mêmes plaintes, les mêmes menaces. Pourtant, la fillette continuait à fréquenter nos services. Au moins, nous servions de relais et nos activités contribuaient à assurer son équilibre. Elle avait une oasis pour respirer et, chez nous, elle pouvait rêver d'une vie meilleure. La situation nous désolait quand même, car son potentiel était immense et, désormais, ses réserves faiblissaient. Elle devenait moins sûre d'elle, elle était angoissée au point de se manger les doigts jusqu'au sang, et elle avait maintenant de fréquentes sautes d'humeur. Je craignais le pire, une fugue, une tentative de suicide, une dépression. Mais, le pire arriva sous une autre forme.

Entre temps, une bénévole avait réussi à intéresser Linda au théâtre et celle-ci s'était laissée prendre au jeu. Elle misa gros sur cette activité, mais, surtout, elle se donna entièrement à son lien d'amitié avec la bénévole. On semblait avoir touché là une corde sensible. Elle accepta de jouer un rôle fait pour elle, inspiré de Cendrillon, une princesse aux pieds nus qui vit dans la misère, malmenée par ses proches et qui finit par trouver le bonheur et la liberté grâce à une grande amitié. Par la magie des arts, elle devenait notre Cendrillon à nous, et cela lui redonnait une énergie nouvelle qui la rendait éclatante. Pendant tout le temps que durèrent les répétitions, elle se transforma en personne plus mûre, elle cessa de cacher ses peines sous un masque et se mit à se confier plus ouvertement. Elle voyait maintenant la lumière au bout du tunnel.

Le personnage qu'elle devait jouer lui servait d'exutoire. Elle se retrouvait en lui et, comme il se situait dans une autre vie, elle y transférait une grande partie de ses sentiments les plus douloureux. Ses colères se dirigeaient vers quelqu'un d'autre ce qui, pour la première fois de sa vie, lui procura un recul et une paix qu'elle n'avait jamais connue. Elle se sentait mieux, moins angoissée, plus authentique. De façon inattendue, le théâtre jouait le rôle d'une thérapie. Souvent trop fière, Linda n'aurait pas pu bénéficier d'une thérapie psychologique de mode traditionnel, mais par le théâtre, on avait réussi à la toucher profondément et même à la transformer.

Par ailleurs, il s'était tissé une amitié réelle avec la bénévole qui l'avait incitée à faire du théâtre. Cela l'aidait à se retrouver dans la vraie vie. Elle évacuait dans Cendrillon tout ce qui provoquait auparavant un blocage chez elle et, parallèlement, elle avait la chance de laisser paraître la vraie Linda, plus sereine et prête à se créer une vie meilleure. Les deux filles se mirent à se voir régulièrement, à sortir ensemble et à se faire de plus en plus de confidences. Elles cherchaient ensemble des moyens pour combler le vide dans lequel Linda avait vécu jusqu'à ce jour.

Au Centre, on tenta à nouveau des approches avec les parents, mais sans succès, car ils niaient tout et refusaient toute collaboration. Ce qu'ils voulaient, c'était qu'on prescrive à Linda des médicaments pour la calmer! En effet, ils la trouvaient agitée et opposante. Auparavant, ils avaient réussi à lui en faire prescrire par l'entremise de médecins de passage. Quand j'avais fait la connaissance de Linda, elle consommait effectivement de très fortes doses de *Ritalin*. J'avais rapidement fait cesser cette médication puisqu'elle n'en avait aucun besoin. Nous nous heurtions donc à une impossibilité d'approcher les parents pour parler du bien-être de leur enfant. Nous nous retrouvions également seuls avec le problème et chargés de son soutien, du moins tant que les parents nous laissaient l'approcher. Nous craignions qu'en mettant trop de pression, ils coupent bêtement les liens et empêchent Linda de faire appel à nos services, ce qui n'aurait certes pas arrangé les choses.

Bien sûr, Linda était une enfant qui n'avait été ni attendue ni voulue. Le père actuel n'était même pas son vrai père, car elle avait été conçue lors d'une séparation transitoire du couple et dans une des périodes très sombres de la vie de sa mère. Linda n'avait jamais connu d'amour, sous quelque forme que ce soit, ni attention, ni considération. Elle se rappelait que, depuis sa petite enfance, elle devait se taire et rester enfermée dans une chambre, dans une attente sans fin. Elle ne se souvenait pas d'avoir été prise ou embrassée par ses parents, mais elle avait un souvenir très présent de leurs cris, de leurs beuveries et de leurs constantes engueulades. Elle disait «ne pas avoir eu de vie». Puis, plus tard, dès qu'elle en fut capable physiquement, elle devint leur servante et leur bonne à tout faire. Pour ce qui est de la nourriture, on lui avait appris à attendre qu'il y en ait de disponible et, s'il en restait, il fallait que son tour vienne, après les adultes et surtout après son frère qui avait toujours eu le beau rôle. Elle n'avait jamais eu d'espace à elle et chaque soir elle devait se trouver une place dans un coin du trois pièces où elle habitait, un logement insalubre et surpeuplé. Tout cela était vrai, et il était aussi vrai qu'elle en avait assez et qu'elle voulait changer de vie.

«Je changerais tout!
Tout de quoi?
Tout de ma vie.»

Nous en étions là. Nous avons donc décidé, pour son bien, de lui trouver un avocat et de la faire témoigner pour sa propre cause. Elle avait maintenant assez d'énergie et de détermination pour y arriver. Vu la lourdeur et la lenteur des services de protection de l'enfance dans ce type de cause où il n'y a pas de traces d'agression, nous avions exclu pour le moment l'idée de faire un nouveau signalement.

Mais le pire se produisit. Un matin, la bénévole qui devait la prendre chez elle pour une sortie qu'elles avaient prévue, se trouva devant une porte close. Le voisin lui annonça que, pendant la nuit, toute la famille était partie vers une destination inconnue. Il lui dit même ouvertement qu'il serait bien débarrassé de cette famille de «pourris», un mot courant pour qualifier ce genre de parasites et d'indésirables. La bénévole revint bredouille à notre Centre, en larmes, pour nous faire part de son impuissance et de sa désolation. Que faire? Mettre la police à leurs trousses? Ce ne sont pas des criminels, du moins en apparence… Et sous quelles preuves ? Appelez la DPJ ? Où ? Sur quel territoire de juridiction ? Avec quel nouveau mandat ? Les gens ont bien le droit de fuir ou de déménager !

Maryse ne fut pas surprise d'apprendre ce départ soudain. Les contacts étaient officiellement coupés entre elle et sa famille, y compris avec son père et avec sa nouvelle petite sœur, mais les mauvais coups et les dénonciations sournoises avaient continué. Le propre conjoint de Maryse avait été mis en prison à la suite de ces délations et elle-même ne voulait plus entendre parler de cette famille ingrate. Bon débarras, dit-elle, en affirmant cependant avoir beaucoup de peine pour Linda qu'elle aimait et qu'elle n'avait pas vue depuis des mois. Cependant, si jamais on la retrouvait, elle la prendrait avec elle n'importe quand.

À ce jour, nous ne savons ni où se trouve Linda ni ce qui lui arrive. Nous n'avons aucune nouvelle d'elle. Sa bénévole et amie ne s'en remet pas et nous sommes tous chagrinés de ne plus l'avoir autour de nous, avec son énergie folle, ses grands yeux rieurs et ses espoirs bien vivants. Chaque fois que nous pensons à elle, c'est avec un pincement au cœur, à cause de la perte que nous avons subie et de l'échec que nous avons vécu, mais aussi à cause de la frustration que nous ressentons devant les limites des services que la société offre aux enfants quand il s'agit de faciliter le bien-être de ceux et celles qui sont mal pris.

Linda, où que tu sois, tu es présente dans nos cœurs. Sache que tu as toujours ta place chez nous.

Valérie au pas de course

▼

Valérie est une itinérante de 19 ans, au passé fait de fugues et d'inconstances, coincée entre deux mondes, assise entre deux chaises. Elle me fait penser à un morceau de glacier qui se détacherait soudain, mais sans trouver son chemin ! Elle fut maman pendant quelques heures, mais trop souffrante dans les profondeurs de son être, elle ne put endurer cette situation. Elle fugua de nouveau, sans son bébé, envahie de remords et profondément déchirée. Il se passa alors un bon mois avant qu'on la revoie, mais dans quel état !

La première fois que je vis Valérie, elle avait 5 ans. Ça se passait chez elle, dans un logement à prix modique comme on dit poliment, quand il s'agit de ghettos où s'entassent des familles pauvres, avec de nombreux enfants menacés par un environnement dangereux, de jour comme de nuit. Dans le cas de Valérie, c'est l'école et quelques voisins qui me l'avaient signalée pour de l'aide d'urgence, vu les conditions épouvantables dans lesquelles elle vivait avec sa mère et sa sœur un peu plus âgée. On avait remarqué sa tristesse et son potentiel «non mobilisable», et tous les intervenants tentèrent, chacun leur tour mais sans succès, de faire quelque chose pour elle. Cela durait depuis près d'un an et demi, donc depuis le début de la maternelle 4 ans. L'année suivante, quand Valérie entra à la maternelle 5 ans, ces intervenants craignirent de laisser l'enfant vivre plus longtemps dans de telles conditions. Les voisins, eux, même s'ils vivaient dans des conditions précaires, n'en pouvaient plus de voir cette petite fille toute blonde avec tant de tristesse dans les yeux. Ce n'est pas parce qu'on est pauvre et occupé à notre survie qu'on perd sa sensibilité !

Mon mandat était clair, je devais faire quelque chose pour la petite Valérie. Moi aussi, je fus immédiatement touché en voyant ce petit être magnifique qui me répondit à la porte et qui m'accueillit dans sa maison avec une grâce à laquelle je ne m'attendais pas du tout. Elle était blonde aux yeux bleus, elle souriait de tout son cœur et elle était toute fière de me faire entrer chez elle. Sa maman, elle, m'attendait à la cuisine et me fit signe de m'asseoir tandis qu'elle achevait une conversation téléphonique animée. Elle ne semblait pas avoir dormi beaucoup, elle portait une robe de chambre défraîchie, elle était nerveuse et pleurait au téléphone. Quand elle eut fini, elle s'excusa et, pendant deux longues heures, elle me parla de sa vie et de son enfant.

Valérie lui causait des problèmes depuis sa naissance. Elle la qualifiait d'enfant difficile, affirmait qu'elle pleurait tout le temps, qu'elle était « maladive » et qu'elle devait souvent prendre des médicaments. « De toute façon, disait-elle, c'est une enfant qui demande beaucoup trop d'attention. » Elle en parlait de façon détachée, comme si c'était l'enfant d'une autre ou comme si elle prenait ses distances par rapport à elle. Elle le faisait même avec une certaine aigreur dans l'attitude et dans le ton. Par contre, elle reprit sa bonne humeur dès qu'elle commença à parler de son autre fille, âgée de 8 ans. À ces yeux, c'était une vraie princesse qui ne lui avait jamais causé de problème et lui avait apporté beaucoup de bonheur.

Pendant ce monologue, je regardais Valérie et je ne voyais qu'une enfant pleine de grâce et de bonheur qui ne pouvait que faire du bien à son entourage, malgré ses vêtements troués qui n'avaient pas été lavés depuis un bon moment. Quelque chose clochait dans cette affaire et, intérieurement, je me posais plein de questions. Quand je vis apparaître « la petite princesse » avec de beaux vêtements, une robe impeccable, des cheveux récemment coiffés et une allure de « femme » à 8 ans, je compris encore moins... ou plutôt je ne voulais pas encore y croire. Quand je compris que c'était non seulement une princesse, mais même une reine, j'en conclus qu'il n'y en avait que pour elle à la maison et qu'il n'en restait pas beaucoup pour Valérie. Bien sûr, elle était belle, mais déjà elle était suffisante, exigeante envers sa mère et méprisante envers sa petite sœur. Elle prenait toute la place, injuriait Valérie et donnait des ordres à sa mère qui aurait fait n'importe quoi pour lui plaire. Valérie s'effaça bientôt et disparut dans sa chambre. Quand je l'y rejoignis, elle pleurait, inconsolable.

La mère en profita pour me faire voir son logement détérioré. Il y avait un bon centimètre de jour tout le tour de la porte arrière, par où s'infiltrait déjà l'air froid de l'automne. La porte avant tenait avec un bout de corde puisqu'il y avait eu un cambriolage la vieille, selon ses dires. La moisissure couvrait le bas des murs du salon et une grande partie de ceux de la salle de bain. La baignoire elle-même était inutilisable et la plupart des prises de courant étaient à nu, ce qui constituait un grand danger d'électrocution. Elle demandait de l'aide pour son logement avant de demander du soutien pour sa petite fille ! Celle-ci ne semblait pas compter beaucoup. J'essayai de ramener la discussion sur la petite et sur l'objet de ma visite ainsi que sur l'origine de ses malheurs. C'est alors que j'appris ce qui se passait vraiment.

Lorsque je questionnai la mère sur la présence ou non d'un père, elle éclata en sanglots et me rapporta que deux mois auparavant, le père de Valérie, qui venait quelquefois à la maison bien qu'ils aient été séparés depuis longtemps, avait accepté de garder l'enfant pendant qu'elle sortait avec son aînée. Habituellement, elle ne les laissait jamais seuls ensemble, car elle le soupçonnait sérieusement d'avoir eu des pratiques incestueuses avec Valérie, et d'avoir déjà abusé d'elle dans le passé. La mère avait porté plainte, à quelques reprises, mais elle n'avait aucune preuve et l'affaire s'était éteinte chaque fois, le père conservant intégralement ses droits de visite. Cette fois-ci, elle lui accorda le bénéfice du doute. Elle devait aller travailler, de nuit comme d'habitude, et sa gardienne ne pouvait pas se présenter. Elle s'en remit donc à la chance. Cette fois, le drame fut au rendez-vous.

Valérie se retrouva seule avec son père pendant toute une soirée et toute une nuit. Il se passa bien des choses, ce soir-là, et elle fut sans aucun doute agressée par cet homme malade qui l'avait fait plusieurs fois auparavant, à elle et à d'autres. Cette fois-ci, elle subit un autre traumatisme, extrême celui-là, celui de découvrir, au petit matin, son père noyé dans son bain. On la découvrit près de lui, ne pouvant plus parler, complètement hébétée. Elle n'en parlerait plus jamais et porterait cette douleur en elle pour toujours.

C'était une petite fille douce et délicate, mais au-delà de cette apparence et de la tristesse qui teintait ses yeux, on devinait un volcan au bord de l'éruption. Subitement et sans raison, elle montrait des attitudes impulsives. Elle dormait mal, envahie de cauchemars, et elle devenait de plus en plus agressive à l'école avec les enfants et les adultes, comme pour se venger. À la maison, où n'apparaissait aucune de ces difficultés, elle restait un « ange ». L'explosion se fit attendre longtemps pour plusieurs raisons, mais surtout parce qu'elle consacrait une grande partie de son énergie à essayer de s'approcher de sa mère et de sa sœur. Elle se sentait responsable de tous les malheurs qui s'abattaient sur sa famille. Elle s'efforçait continuellement de lutter contre le profond sentiment de culpabilité qui l'avait envahie, le soir où son père s'était noyé. Par la suite, sa famille entretint malicieusement ce sentiment qui n'allait jamais s'évanouir.

Que fait-on pour aider une petite fille aux prises avec des problèmes aussi graves? À cette époque, nous n'avions pas encore de grands moyens d'agir auprès des enfants en difficulté, car nous en étions seulement à l'amorce du développement de notre projet de pédiatrie sociale dans le quartier Hochelaga-Maisonneuve. Nous faisions alors de l'intervention «externe», du cas par cas, bien que nos principes d'action étaient déjà les mêmes que ceux qui prévalent aujourd'hui, soit la capacité d'attachement, le soutien à la remise en piste et le renforcement des compétences, le tout associé à l'espoir et au rêve partagé. C'est une recette simple et sûre, qui n'exige pas de moyens compliqués, seulement de la compassion et beaucoup de disponibilité. Mais dans ce cas, que faire?

Valérie devint une princesse pour nous tous. D'abord, nous nous fîmes un devoir de l'exposer de moins en moins à sa mère qui n'en finissait pas de la traiter injustement. Elle s'en servait comme bouc émissaire quand elle n'allait pas bien, c'est-à-dire presque tout le temps. Elle la traitait en servante pour ses besoins personnels et comme femme de ménage pour le service de la maison. Plus tard, elle aura été gardienne pour le bébé de sa sœur et, une grande partie de sa vie, elle aura joué un rôle ingrat auprès de sa famille, sans reconnaissance aucune, «comme une Cendrillon du vingtième siècle», pensais-je souvent.

Il fallait aussi l'éloigner de sa sœur aînée qui la traitait de haut, comme une moins que rien. Elle s'en moquait et elle la méprisait sans que Valérie réagisse, car elle se disait qu'un jour, sa sœur finirait par l'aimer et l'apprécier à sa juste valeur. Elle lui pardonnait d'avance et m'assurait constamment que ce n'était pas sa faute, qu'elle n'était pas méchante et qu'en plus, elle avait été la préférée de son père ! Valérie avait tellement besoin de l'attention et de l'amour de sa sœur et de sa mère qu'elle était prête à tout supporter pour ne pas leur déplaire. Même des années plus tard, elle allait souvent essayer de les revoir et de leur donner son affection, ayant déjà tout pardonné. Pourtant, jamais elles ne l'aimèrent.

À l'école, elle obtint un statut « de protection ». Ainsi, une élève plus âgée l'aidait à faire ses devoirs après l'école, des enseignantes la guidaient de façon particulière et elle recevait un soutien alimentaire pour les collations et le dîner. On ne la laissait jamais seule, on l'entourait pour lui offrir un sentiment de sécurité et pour qu'elle se sente aimée. Nous voulions contrebalancer les carences et les rabaissements qu'elle subissait à la maison en lui faisant vivre une situation complètement différente et surtout aimante.

Or, on ne transforme pas facilement le cœur et l'esprit d'un jeune enfant quand des sentiments de famille sont en jeu. Il en allait ainsi pour Valérie qui continuait d'aimer sa mère et sa sœur plus que tout au monde, qui les défendait quand on essayait de lui montrer leur mauvaise foi et qui les excusait quand elles la traitaient comme un rejeton. Jamais ces deux personnes ne lui manifestaient la moindre tendresse, douceur ou pitié. Seulement de la hargne et du rejet. Pourtant, cette pauvre fille leur donnait tout ce qu'elles lui demandaient sans se plaindre, par amour.

J'étais vite devenu une des personnes qui comptaient le plus pour Valérie. J'avais souvent l'occasion d'entendre ses confidences et ses attentes, mais aussi de partager la quête de ses besoins profonds. Elle souhaitait devenir, un jour, aussi belle que sa grande sœur, toujours propre et bien habillée, celle que la mère présentait partout avec fierté. Elle ne lui en voulait pas du tout : au contraire, elle trouvait juste que sa sœur jouisse de tous ces avantages vu sa grande beauté. Valérie voulait réussir à l'école afin de prouver à sa mère qu'elle était douée et qu'elle pourrait exercer un bon métier plus tard. Elle disait qu'elle pourrait ainsi gagner beaucoup d'argent pour que sa maman n'ait plus à travailler. Pour rendre heureuse sa mère, Valérie lui achèterait tout ce qu'elle voudrait. Elle expliquait le fait que sa mère soit si souvent de mauvaise humeur contre elle par des problèmes financiers et par l'obligation de faire un travail difficile, de nuit.

Tout ce que Valérie désirait, c'était de rendre sa famille heureuse, rien d'autre.

Souvent, je rencontrais sa mère en cachette. Si elle l'avait su, elle ne m'y aurait pas autorisé. C'était toujours assez compliqué parce qu'elle dormait de jour et travaillait la nuit et, à plusieurs reprises, elle dut même s'absenter plusieurs jours, lors de tournées spéciales. Elle était danseuse. Chaque fois que je réussissais à la rencontrer, elle avait cet air vague de ceux qui ne veulent pas aborder un sujet même s'il est très important. Elle affichait toujours cet état de grande fatigue des gens qui viennent «juste de sortir du lit», ce qui justifiait ses pensées floues. J'essayai plusieurs fois de lui parler de Valérie, mais c'était l'unique sujet qu'elle refusait d'aborder. Elle ne voulait pas reconnaître que sa fille était un bijou, elle ne voulait pas entendre parler de ses qualités, elle doutait de son succès à l'école, elle ne voulait surtout pas entendre qu'elle était belle et charmante. Chaque fois, elle changeait de sujet et se montrait ennuyée. Elle avait souvent l'air de se demander quand j'allais enfin partir. Puis, elle s'animait un peu en me racontant ses problèmes domestiques et ses difficultés financières.

Pourtant, Valérie avait bel et bien toutes ces qualités que je nommais, et bien d'autres encore. D'abord, elle était très jolie, beaucoup plus que sa sœur d'ailleurs, avec de grands yeux bleu pâle. Elle était d'une gentillesse exceptionnelle, elle aimait rendre service et incarnait la bonté. Elle souriait simplement et spontanément. Dans les plus durs moments, son visage angélique nous cachait ses pleurs et sa profonde tristesse. J'avais fini par devenir son confident et sa référence, et même si elle ne me disait pas tout, notre lien s'intensifiait sans cesse. Parfois, elle me disait que j'étais le père qu'elle n'avait jamais eu, et quand ses amies nous rencontraient et lui demandaient qui j'étais, elle laissait planer le doute puis, dans une grande exclamation, elle se mettait à rire en leur disant que non, je n'étais pas son père, j'étais plutôt «son docteur». Des années durant, nous allions entretenir cette relation, jusqu'à ce qu'elle devienne complètement autonome. Elle aura 20 ans cette année et je ne l'ai plus revue depuis un an.

Un jour, il y eut un nouveau drame. La mère étant partie depuis quelques jours et les enfants n'ayant plus de surveillance, car la dame engagée par la mère pour les garder n'était pas réapparue non plus, les voisins décidèrent d'appeler la DPJ qui, dans les circonstances, n'avait pas d'autres choix que de placer les enfants en attendant le retour de la mère. Valérie avait alors 9 ans et elle resta placée jusqu'à près de 18 ans. Le juge, compte tenu des dires de la mère, disait ne pas pouvoir faire autrement. La sœur, elle, revint rapidement chez sa mère, qui s'en tira avec des conditions de sécurité à respecter. Elle avait donc profité de l'occasion pour se débarrasser de Valérie et elle refusa même les visites de l'enfant à domicile pendant plus d'un an.

Elle avait dit aux intervenants de la DPJ et au juge que c'était une enfant difficile, avec de gros troubles du comportement, des idées suicidaires et des comportements délinquants. Elle l'accusa de lui avoir volé de l'argent dans son sac, elle déclara qu'elle se mutilait en cachette et l'accusa de jalousie extrême et menaçante envers sa sœur, qui était sur le point d'en faire une dépression. Elle refusait de la revoir pour le moment afin de sauver sa famille, rien de moins. Comme Valérie se sentait coupable, elle accepta sa punition en pensant qu'elle la méritait bien.

Il fallut quelques mois avant que je puisse la revoir. Dans bien des cas, lorsqu'il y a placement de «mes enfants» (ceux dont je suis le pédiatre et souvent le lien sécurisant), les contacts sont coupés, pour des raisons que je ne comprends pas très bien et qui m'empêchent de garder un lien pourtant essentiel avec l'enfant. Voilà une autre aberration d'un système qui détient un pouvoir complet sur la vie et le devenir d'enfants en souffrance et qui ne sait gérer qu'à sa façon et avec ses propres critères.

Entre-temps, elle était devenue obèse et plutôt amorphe. On l'avait fait voir à un psychiatre qui n'avait rien trouvé d'anormal chez elle au plan psychiatrique et qui n'avait pas jugé bon de la suivre. Elle était contente de me revoir et se demandait pourquoi je n'étais pas venu plus tôt.

Que répondre?

Que je ne l'avais pas oubliée, que je la plaignais, que je souhaitais qu'elle garde espoir? J'essayai d'arranger des sorties et des moments privilégiés avec elle. Heureusement, Valérie s'était beaucoup attachée à une jeune éducatrice du centre d'accueil et celle-ci me rapporta confidentiellement qu'elle ne comprenait pas que cette enfant soit ainsi placée avec des enfants beaucoup plus difficiles qu'elle. Elle l'aimait beaucoup, elle aussi, et faisait tout en son pouvoir pour alléger son séjour, mais elle craignait les mauvaises influences et les abus de pouvoir quand elle n'était pas de service. Elle accepta de collaborer avec moi pour organiser des sorties pour Valérie. Elle l'accompagnait jusqu'au métro, acceptant de la superviser à distance. Elle me la confiait pour la journée, lors de sorties avec les membres de notre équipe qui l'accueillaient toujours avec enthousiasme, ou encore pour des repas d'anniversaire ou des sorties au cinéma, ce qu'elle adorait. Elle aimait particulièrement les films d'amour où, disait-elle, elle n'en finissait plus de rêver au prince charmant qui viendrait la chercher dans son refuge et la rendrait heureuse. Tant qu'elle rêvait ainsi, j'étais rassuré. Nous pouvions donc gagner un temps précieux.

Elle ne reprit les visites chez sa mère que longtemps après, surtout parce qu'elle voulait à tout prix voir enfin sa nouvelle petite sœur qui venait de naître quelques semaines plus tôt. Elle parlait à sa mère au téléphone, quand elle pouvait l'attraper, et c'est ainsi qu'elle avait appris sa grossesse. Maintenant, elle ne faisait que penser à cet enfant qui lui redonnait de l'espoir. Tout ce qu'elle souhaitait désormais, c'est de réintégrer sa famille et qu'elles vivent heureuses ensemble. Elle ne se doutait même pas que ce n'était pas un enfant désiré, qu'elle était le fruit d'un malencontreux accident et que sa mère l'avait gardée plus par paresse de se faire avorter que par le désir d'une vie nouvelle à chérir. Elle ne savait pas encore, non plus, que son retour n'était souhaité que pour qu'elle serve de gardienne à l'enfant à moindre coût.

Ce furent donc quelques années de va-et-vient occasionnels entre la maison et le centre d'accueil où elle finit par faire son nid, en grande partie grâce au lien de plus en plus étroit avec son éducatrice. Dans les moments plus difficiles, elle m'appelait à la rescousse et nous gardions ainsi un contact sûr. Elle fréquentait une école associée au centre, mais elle n'y réussissait pas très bien, malgré ses capacités. Elle vivait encore dans l'attente d'un appel ou d'un regard de sa mère, signe qui ne viendrait jamais. Elle voulait se racheter de ne pas avoir été à la hauteur pour son père, sa mère et sa grande sœur, selon elle. Elle espérait donc l'être pour sa nouvelle petite sœur.

Tout changea quand elle eut environ 15 ans. Elle étouffait et voulait s'enfuir. Elle se disait capable d'autonomie et devenait avide de liberté. Un jour, elle me dit qu'elle allait fuir pour retrouver sa petite sœur qui lui manquait énormément. Inconsciemment, elle voulait jouer à la mère. Elle ferait d'une pierre deux coups, c'est-à-dire elle rejoindrait sa petite sœur dont elle s'occuperait pleinement, et elle plairait ainsi à sa mère qui serait tout heureuse de la retrouver. Elle persistait dans un rêve grandiose, et c'est cette recherche avide d'un bonheur impossible qui la gardait en vie.

Elle se mit bientôt à fuguer, de petites fuites pour attirer l'attention, ne se permettant pas de dépasser une ou deux rues autour du centre, sous prétexte de s'acheter des cigarettes. On la retrouvait vite et elle était soulagée de voir qu'on tenait tant à elle. Elle acceptait assez facilement les conséquences de ces petits délits. Un jour, elle partit plus longtemps, avec une fille en hébergement dans la même unité qu'elle, réputée pour sa consommation et sa tendance à la prostitution. Ce fut, je crois, sa première initiation aux mauvaises choses de la vie et, comme on la traita assez bien et qu'elle put goûter à une certaine liberté, ce ne fut qu'un début. On la retrouva un soir dans un parc, ivre et affamée. On la ramena au centre, en rendant plus sévères ses conditions de surveillance et, en même temps, on la mit avec un groupe de filles beaucoup plus difficiles. Le risque de contamination devenait encore plus grand malgré sa bonté profonde. Elle n'était pas faite pour ce monde ni pour ces conditions. Elle n'avait rien fait. Elle n'était qu'une victime rejetée par sa famille. Or, c'était maintenant une adolescente blessée et emprisonnée avec des délinquantes et des jeunes filles encore plus souffrantes qu'elle.

Dès qu'elle en eut l'occasion, elle fugua de nouveau et apprit à ne pas se faire attraper. Chaque fois, elle m'appelait d'une boîte téléphonique pour me rassurer et pour me dire de ne pas m'inquiéter, car elle avait de bons amis, me disait-elle. Elle me disait alors combien elle s'ennuyait de sa petite sœur et de sa mère. À quelques reprises d'ailleurs, elle revint d'elle-même, lorsqu'elle se trouvait mal prise, ou encore elle se rendait directement chez sa mère dans un soudain accès d'ennui, juste le temps de prendre sa sœur dans ses bras, souhaitant secrètement qu'un jour, qui sait, sa mère la prenne elle aussi dans ses bras.

À 16 ans, elle partit pour ne pas revenir. Je ne reçus son appel que quelques semaines plus tard. Encore une fois, elle me rassura et me dit qu'elle avait rencontré un garçon qu'elle aimait et qu'elle habitait avec lui chez la mère de celui-ci. Je n'étais pas très rassuré et je lui demandai de la voir et de me présenter le garçon en question pour me laisser juger de son sérieux. Elle accepta et me donna rendez-vous dans un restaurant de Ville La Salle. Je la rencontrai, tel que prévu. Elle avait fière allure. Elle travaillait pour distribuer des journaux gratuits à la porte des métros et se surveillait pour ne pas être reprise parce que, me dit-elle, elle était recherchée par la police à la demande de sa mère. Je passai un moment avec elle, la laissant me raconter ses projets et ses peines de ne pas voir sa famille. Comme son petit ami n'était pas présent, je lui demandai ce qu'il en était. Elle me dit qu'il nous attendait plus loin et qu'elle n'avait qu'à lui téléphoner pour qu'il vienne nous rejoindre au coin de rue. Je crois bien qu'il s'assurait que je n'étais pas suivi.

En effet, elle l'appela et il vint nous rejoindre à une intersection, à deux pas de là, sortant de nulle part. Je fus étonné de voir apparaître un jeune homme encore un peu enfant et timide, alors que je m'étais imaginé un petit caïd voulant profiter de Valérie. Ils étaient hébergés par la mère du garçon, une femme de bon sens, qui comprenait leur détresse et leurs désirs, et qui préférait de loin les garder chez elle plutôt que de les laisser dans la rue ou au centre d'accueil. Elle leur trouvait du boulot et essayait de les responsabiliser, car aucun ne voulait retourner à l'école et ils avaient déjà le projet de vivre ensemble et... d'avoir beaucoup d'enfants !

Je fus satisfait de la situation et je fis bien plaisir à Valérie quand je lui donnai mon autorisation morale. Elle me sauta au coup et me remercia de lui faire confiance. Je pris soin d'avertir le garçon d'en prendre soin. Que faire de plus en ces circonstances ? Elle avait une liberté chèrement acquise, elle avait un toit et de quoi se nourrir, elle était amoureuse comme on peut l'être à 16 ans et elle avait des projets d'avenir.

Le lendemain, je reçus le téléphone d'un inspecteur de police me demandant si j'avais des nouvelles de Valérie et une idée où elle se trouvait. C'était un peu surprenant comme coïncidence, mais je ne mentionnai pas devant lui ce drôle de hasard. Je lui avouai que oui, j'avais eu des nouvelles rassurantes, qu'elle n'était pas en danger selon mes critères, et que je n'avais aucune idée où elle se trouvait. Il n'insista pas et me sembla très peu préoccupé par sa recherche, me disant qu'il ne faisait que son boulot et moi le mien. J'eus l'impression que, rassuré, il passa à des dossiers plus complexes.

Valérie ne retourna jamais au centre. Quand elle eut 17 ans, on lui fit savoir, par l'entremise de sa mère, qu'elle voyait à l'occasion tout en évitant de se faire piéger de nouveau, qu'elle ne serait plus recherchée. Elle avait sa vraie liberté et on ne lui demandait que de rendre certains comptes à une travailleuse sociale à l'occasion, ce qu'elle ne fit jamais formellement. Par contre, elle garda contact avec son ancienne éducatrice pour tous ses besoins de grande fille. Maintenant, elle ferait sa vie seule. Ses seuls points de repère seraient son éducatrice et son docteur, à l'occasion, ainsi que ses nouvelles fréquentations, selon le cas.

Elle revenait me voir de temps en temps, pour me demander un coup de pouce, que ce soit pour retourner aux études ou se trouver un emploi. Jamais elle ne demanda d'aide financière, me disant toujours qu'elle se débrouillait bien. Malgré ma réticence, à chacune de nos rencontres, elle me demandait un paquet de cigarettes, au début parce qu'elle n'avait pas l'âge et par la suite parce qu'elle en avait pris l'habitude comme dans un rituel. Comment lui refuser ce petit accroc à mon rôle de docteur en prévention ?

À 19 ans, l'an dernier, elle m'est revenue enceinte de huit mois. Je fis tout pour l'aider à préparer la venue de son premier bébé et pour qu'elle puisse le garder. Il est bien connu que les filles des centres d'accueil sont toutes susceptibles de se faire prendre leur bébé à la naissance parce qu'on les qualifie assez rapidement de « mères incompétentes », comme si on ne montrait pas cette habileté dans les centres d'accueil. Nous l'avons donc aidée à ne manquer de rien, couches, meubles de bébé, soutien pour les premières semaines. Elle fut bien suivie en fin de grossesse et elle accoucha d'un gros garçon de huit livres en pleine santé. Elle en était fière, même si on sentait chez elle un peu de panique et une forme d'angoisse bien normale. Les premières semaines après la naissance furent pénibles, non pas qu'elle ne savait pas quoi faire, ni comment donner les soins, mais parce que son nouveau petit ami, le père de l'enfant, l'abandonnait. Il ne voulait pas d'un enfant en plus d'une petite amie. Mais ce qui la fit souffrir plus encore, c'est l'attitude de sa propre mère qui refusa de voir l'enfant, disant que c'était un bâtard et qu'elle en avait assez de cette fille qui lui causait tant de problèmes. Elle se voyait encore une fois abandonnée, mais cette fois doublement. Elle avait cru bien faire et créer une vie qu'elle allait choyer et qui lui permettrait sûrement de se recréer une place dans le cœur de sa mère et un statut auprès de sa grande sœur. Il n'en était rien et elle fugua encore une fois, laissant son bébé en sécurité auprès d'une femme de confiance, la mère de son ancien petit ami, le premier avec qui elle avait rêvé d'une vie meilleure.

Elle ne revint qu'après un mois, dans un état lamentable, déchue, abandonnée au seuil de ses 20 ans, brisée par une vie de faux espoirs. Elle allait recommencer, bien sûr, mais cette fois sans se faire d'illusions, à petits pas, et nous serions encore là pour l'aider et pour l'accompagner, nous-mêmes pleins d'espoir pour sa vie et pour celle de son enfant.

CONCLUSION

▼

Les enfants de l'espoir...

Une société passe par des hauts et des bas, cela fait partie de l'Histoire. La trajectoire des personnes et l'évolution des sociétés se caractérisent par cet effet de balancier. On recule et on avance. L'espoir naît des drames. On vit et on revit. L'harmonie sort du chaos. Les sociétés n'échappent pas à ce destin !

Les enfants, eux, sont les témoins impuissants des changements. Parfois, les petits prennent toute la place. D'autres fois, on les traite comme des citoyens de second ordre. Des gens vont même jusqu'à les faire travailler en bas âge ou à en abuser, sans même être pénalisés.

Dans quel état se trouvent les enfants de notre époque, dans ce monde que nous avons construit ? Où sont les enfants de l'espoir ? Et où est l'espoir pour les enfants ?

Nous sommes dimanche et, ce matin, j'ai vu des hommes s'occuper de leurs petits, dans un parc, le long du fleuve Saint-Laurent. Ils étaient nombreux à jouer avec leurs enfants, à les pousser dans des balançoires, à construire des châteaux de sable et à rire tous ensemble. Je ne voyais pas de mères, seulement des hommes, presque tous d'origine étrangère. Était-ce une leçon de vie ? Était-ce un espoir nouveau, l'image d'un monde où l'enfant reviendrait au premier plan ?

Nous sommes dimanche et les hommes s'occupent des enfants tandis que les femmes se reposent d'une longue semaine auprès d'eux... Ces gens qui viennent d'ailleurs sont-ils en train de nous montrer quelle est la vraie valeur des enfants ?

Cet après-midi, mon fils m'a rendu visite avec Charlotte, sa fille d'un an et demi. Pendant un long moment, nous nous sommes laissés aller à l'observer. Elle s'activait sans arrêt. Lui, le père, n'en finissait plus de la stimuler et de lui donner des choses à faire, des petites tâches à accomplir, des petites responsabilités à assumer. Elle se plaisait de plus en plus à ce jeu. Elle se montrait compétente et en était très fière. Elle épatait la galerie et cela la motivait encore plus. À un moment donné, mon fils me dit : « Tu devrais dire ça aux parents avec qui tu travailles, que s'ils occupaient ainsi les enfants, ils n'auraient plus de problèmes ! »

Bien sûr, mon fils occupait sa fille, mais surtout il la regardait, lui donnait de l'importance, la félicitait. Quant à elle, elle n'avait d'yeux que pour lui, et un tout petit peu pour moi, son grand-père. Je me disais qu'il avait parfaitement raison et que si tous nous nous y mettions, si chaque parent s'en donnait la peine, si chaque personne s'intéressait aux enfants de son entourage, la société ferait son devoir et les enfants seraient heureux. Ce serait si simple. Et ce serait un ordre nouveau.

Les enfants de notre époque ressemblent à ceux de toutes les autres époques. Où qu'ils se trouvent, les enfants ont les mêmes besoins et les mêmes aspirations, à moins d'être contaminés, embrigadés ou dénaturés par des adultes sans âme.

Nous essayons de construire une société juste et de définir des droits pour les enfants. Nous mettons sur pied des services pour leur permettre de s'épanouir et cela est tout à notre honneur. Cependant, nous devons aller jusqu'au bout de nos idées et de nos aspirations. Pour cela, il faut mettre la main à la pâte, ce qui signifie que nous ne devons pas laisser à d'autres le soin de décider de ce que nous voulons pour nos enfants. Cela exige que nous soyons constamment en état de vigilance envers les enfants et les familles afin qu'aucun petit ne soit lésé ni ne tombe entre deux chaises. Nous devons également mettre en place des mécanismes pour surveiller les trajectoires des enfants afin que chacun d'eux puisse réaliser son plein potentiel.

La Collection de l'Hôpital Sainte-Justine

pour les parents

Ados : mode d'emploi

Michel Delagrave

Devant le désir croissant d'indépendance de l'adolescent et face à ses choix, les parents développent facilement un sentiment d'impuissance. Dans un style simple et direct, l'auteur leur donne diverses pistes de réflexion et d'action.

ISBN 2-89619-016-3   2005/176 p.

Aide-moi à te parler !
La communication parent-enfant

Gilles Julien

L'importance de la communication parent-enfant, ses impacts, sa force, sa nécessité. Des histoires vécues sur la responsabilité fondamentale de l'adulte : l'écoute, le respect et l'amour des enfants.

ISBN 2-922770-96-6   2004/144 p.

Aider à prévenir le suicide chez les jeunes
Un livre pour les parents

Michèle Lambin

Reconnaître les indices symptomatiques, comprendre ce qui se passe et contribuer efficacement à la prévention du suicide chez les jeunes.

ISBN 2-922770-71-0   2004/272 p.

L'allaitement maternel
(2ᵉ édition)

Comité pour la promotion de l'allaitement maternel
de l'Hôpital Sainte-Justine

Le lait maternel est le meilleur aliment pour le bébé. Tous les conseils pratiques pour faire de l'allaitement une expérience réussie !

ISBN 2-922770-57-5   2002/104 p.

Apprivoiser l'hyperactivité et le déficit de l'attention

Colette Sauvé

Une gamme de moyens d'action dynamiques pour aider l'enfant hyperactif à s'épanouir dans sa famille et à l'école.

ISBN 2-921858-86-X   2000/96 p.

Au-delà de la déficience physique ou intellectuelle
Un enfant à découvrir
Francine Ferland

Comment ne pas laisser la déficience prendre toute la place dans la vie familiale ? Comment favoriser le développement de cet enfant et découvrir le plaisir avec lui ?

ISBN 2-922770-09-5   2001/232 p.

Au fil des jours... après l'accouchement
L'équipe de périnatalité de l'Hôpital Sainte-Justine

Un guide précieux pour répondre aux questions pratiques de la nouvelle accouchée et de sa famille durant les premiers mois suivant l'arrivée de bébé.

ISBN 2-922770-18-4   2001/96 p.

Au retour de l'école...
La place des parents dans l'apprentissage scolaire
(2e édition)
Marie-Claude Béliveau

Une panoplie de moyens pour aider l'enfant à développer des stratégies d'apprentissage efficaces et à entretenir sa motivation.

ISBN 2-922770-80-X   2004/280 p.

Comprendre et guider le jeune enfant
À la maison, à la garderie
Sylvie Bourcier

Des chroniques pleines de sensibilité sur les hauts et les bas des premiers pas du petit vers le monde extérieur.

ISBN 2-922770-85-0   2004/168 p.

De la tétée à la cuillère
Bien nourrir mon enfant de 0 à 1 an
Linda Benabdesselam et autres

Tous les grands principes qui doivent guider l'alimentation du bébé, présentés par une équipe de diététistes expérimentées.

ISBN 2-922770-86-9   2004/144 p.

Le développement de l'enfant au quotidien
Du berceau à l'école primaire
Francine Ferland
Un guide précieux cernant toutes les sphères du développement de l'enfant: motricité, langage, perception, cognition, aspects affectifs et sociaux, routines quotidiennes, etc.
ISBN 2-89619-002-3   2004/248 p.

Le diabète chez l'enfant et l'adolescent
Louis Geoffroy, Monique Gonthier et les autres membres de l'équipe de la Clinique du diabète de l'Hôpital Sainte-Justine
Un ouvrage qui fait la somme des connaissances sur le diabète de type 1, autant du point de vue du traitement médical que du point de vue psychosocial.
ISBN 2-922770-47-8   2003/368 p.

Drogues et adolescence
Réponses aux questions des parents
Étienne Gaudet
Sous forme de questions-réponses, connaître les différentes drogues et les indices de consommation, et avoir des pistes pour intervenir.
ISBN 2-922770-45-1   2002/128 p.

En forme après bébé
Exercices et conseils
Chantale Dumoulin
Des exercices et des conseils judicieux pour aider la nouvelle maman à renforcer ses muscles et à retrouver une bonne posture.
ISBN 2-921858-79-7   2000/128 p.

En forme en attendant bébé
Exercices et conseils
Chantale Dumoulin
Des exercices et des conseils pratiques pour garder votre forme pendant la grossesse et pour vous préparer à la période postnatale.
ISBN 2-921858-97-5   2001/112 p.

Enfances blessées, sociétés appauvries
Drames d'enfants aux conséquences sérieuses
Gilles Julien

Un regard sur la société qui permet que l'on néglige les enfants. Un propos illustré par l'histoire du cheminement difficile de plusieurs jeunes.

ISBN 2-89619-036-8   2005/256 p.

L'enfant adopté dans le monde
(en quinze chapitres et demi)
Jean-François Chicoine, Patricia Germain et Johanne Lemieux

Un ouvrage complet traitant des multiples aspects de ce vaste sujet : l'abandon, le processus d'adoption, les particularités ethniques, le bilan de santé, les troubles de développement, l'adaptation, l'identité...

ISBN 2-922770-56-7   2003/480 p.

L'enfant malade
Répercussions et espoirs
Johanne Boivin, Sylvain Palardy et Geneviève Tellier

Des témoignages et des pistes de réflexion pour mettre du baume sur cette cicatrice intérieure laissée en nous par la maladie de l'enfant.

ISBN 2-921858-96-7   2000/96 p.

L'estime de soi des adolescents
Germain Duclos, Danielle Laporte et Jacques Ross

Comment faire vivre un sentiment de confiance à son adolescent ? Comment l'aider à se connaître ? Comment le guider dans la découverte de stratégies menant au succès ?

ISBN 2-922770-42-7   2002/96 p.

L'estime de soi des 6-12 ans
Danielle Laporte et Lise Sévigny

Une démarche simple pour apprendre à connaître son enfant et reconnaître ses forces et ses qualités, l'aider à s'intégrer et lui faire vivre des succès.

ISBN 2-922770-44-3   2002/112 p.

L'estime de soi, un passeport pour la vie

(2ᵉ édition)

Germain Duclos

Pour développer des attitudes éducatives positives qui aideront l'enfant à acquérir une meilleure connaissance de sa valeur personnelle.

ISBN 2-922770-87-7   2004/248 p.

Et si on jouait?
Le jeu durant l'enfance et pour toute la vie

(2ᵉ édition)

Francine Ferland

Les différents aspects du jeu présentés aux parents et aux intervenants : information détaillée, nombreuses suggestions de matériel et d'activités.

ISBN 2-89619-35-X   2005/212 p.

Être parent, une affaire de coeur

(2ᵉ édition)

Danielle Laporte

Des textes pleins de sensibilité, qui invitent chaque parent à découvrir son enfant et à le soutenir dans son développement. Une série de portraits saisissants : l'enfant timide, agressif, solitaire, fugueur, déprimé, etc.

ISBN 2-89619-021-X   2005/280 p.

Famille, qu'apportes-tu à l'enfant?

Michel Lemay

Une réflexion approfondie sur les fonctions de chaque protagoniste de la famille, père, mère, enfant... et les différentes situations familiales.

ISBN 2-922770-11-7   2001/216 p.

La famille recomposée
Une famille composée sur un air différent

Marie-Christine Saint-Jacques et Claudine Parent

Comment vivre ce grand défi ? Le point de vue des adultes (parents, beaux-parents, conjoints) et des enfants impliqués dans cette nouvelle union.

ISBN 2-922770-33-8   2002/144 p.

Favoriser l'estime de soi des 0-6 ans
Danielle Laporte

Comment amener le tout-petit à se sentir en sécurité ? Comment l'aider à développer son identité ? Comment le guider pour qu'il connaisse des réussites ?

ISBN 2-922770-43-5   2002/112 p.

Grands-parents aujourd'hui
Plaisirs et pièges
Francine Ferland

Les caractéristiques des grands-parents du 21ᵉ siècle, leur influence, les pièges qui les guettent, les moyens de les éviter, mais surtout les occasions de plaisirs qu'ils peuvent multiplier avec leurs petits-enfants.

ISBN 2-922770-60-5   2003/152 p.

Guider mon enfant dans sa vie scolaire
Germain Duclos

Des réponses aux questions les plus importantes et les plus fréquentes que les parents posent à propos de la vie scolaire de leur enfant.

ISBN 2-922770-21-4   2001/248 p.

J'ai mal à l'école
Troubles affectifs et difficultés scolaires
Marie-Claude Béliveau

Cet ouvrage illustre des problématiques scolaires liées à l'affectivité de l'enfant. Il propose aux parents des pistes pour aider leur enfant à mieux vivre l'école.

ISBN 2-922770-46-X   2002/168 p.

Les maladies neuromusculaires chez l'enfant et l'adolescent
Sous la direction de Michel Vanasse, Hélène Paré, Yves Brousseau et Sylvie D'Arcy

Les informations médicales de pointe et les différentes approches de réadaptation propres à chacune des maladies neuromusculaires.

ISBN 2-922770-88-5   2004/376 p.

Musique, musicothérapie et développement de l'enfant
Guylaine Vaillancourt
La musique en tant que formatrice dans le développement global de l'enfant et la musique en tant que thérapie, qui rejoint l'enfant quel que soit son âge, sa condition physique et intellectuelle ou son héritage culturel.
ISBN 2-89619-031-7   2005/184 p.

Le nouveau Guide Info-Parents
Livres, organismes d'aide, sites Internet
Michèle Gagnon, Louise Jolin et Louis-Luc Lecompte
Voici, en un seul volume, une nouvelle édition revue et augmentée des trois Guides Info-Parents : 200 sujets annotés.
ISBN 2-922770-70-2   2003/464 p.

Parents d'ados
De la tolérance nécessaire à la nécessité d'intervenir
Céline Boisvert
Pour aider les parents à départager le comportement normal du pathologique et les orienter vers les meilleures stratégies.
ISBN 2-922770-69-9   2003/216 p.

Les parents se séparent...
Pour mieux vivre la crise et aider son enfant
Richard Cloutier, Lorraine Filion et Harry Timmermans
Pour aider les parents en voie de rupture ou déjà séparés à garder espoir et mettre le cap sur la recherche de solutions.
ISBN 2-922770-12-5   2001/164 p.

Responsabiliser son enfant
Germain Duclos et Martin Duclos
Apprendre à l'enfant à devenir responsable, voilà une responsabilité de tout premier plan. De là l'importance pour les parents d'opter pour une discipline incitative.
ISBN 2-89619-00-3   2005/200 p.

Santé mentale et psychiatrie pour enfants
Des professionnels se présentent
Bernadette Côté et autres

Pour mieux comprendre ce que font les différents professionnels qui travaillent dans le domaine de la santé mentale et de la pédopsychiatrie : leurs rôles spécifiques, leurs modes d'évaluation et d'intervention, leurs approches, etc.

ISBN 2-89619-022-8   2005/128 p.

La scoliose
Se préparer à la chirurgie
Julie Joncas et collaborateurs

Dans un style simple et clair, voici réunis tous les renseignements utiles sur la scoliose et les différentes étapes de la chirurgie correctrice.

ISBN 2-921858-85-1   2000/96 p.

Le séjour de mon enfant à l'hôpital
Isabelle Amyot, Anne-Claude Bernard-Bonnin, Isabelle Papineau

Comment faire de l'hospitalisation de l'enfant une expérience positive et familiariser les parents avec les différences facettes que comporte cette expérience.

ISBN 2-922770-84-2   2004/120 p.

Tempête dans la famille
Les enfants et la violence conjugale
Isabelle Côté, Louis-François Dallaire et Jean-François Vézina

Comment reconnaître une situation où un enfant vit dans un contexte de violence conjugale ? De quelle manière l'enfant qui y est exposé réagit-il ? Quelles ressources peuvent venir en aide à cet enfant et à sa famille ?

ISBN 2-89619-008-2   2004/144 p.

Les troubles anxieux expliqués aux parents
Chantal Baron

Quelles sont les causes de ces maladies et que faire pour aider ceux qui en souffrent ? Comment les déceler et réagir le plus tôt possible ?

ISBN 2-922770-25-7   2001/88 p.

Les troubles d'apprentissage : comprendre et intervenir

Denise Destrempes-Marquez et Louise Lafleur

Un guide qui fournira aux parents des moyens concrets et réalistes pour mieux jouer leur rôle auprès de l'enfant ayant des difficultés d'apprentissage.

ISBN 2-921858-66-5   1999/128 p.

Votre enfant et les médicaments : informations et conseils

Catherine Dehaut, Annie Lavoie, Denis Lebel, Hélène Roy et Roxane Therrien

Un guide précieux pour informer et conseiller les parents sur l'utilisation et l'administration des médicaments. En plus, cent fiches d'information sur les médicaments les plus utilisés.

ISBN 2-89619-017-1   2005/336 p.

MEMBRE DU GROUPE SCABRINI

Québec, Canada
2005